年华若樱

网络小说《同学少年多犯贱》文字版

李紫烟 ★ 著

年华若樱

目　录

1

80频道
QINGCHUN SHI GUANG

2

1 时间开始了

　　刚进大学的时候，我的同学肖斯文擅长在失恋后用啤酒来麻醉自己。每次他都喜欢把我拉到天台，先陈述跟那个女孩是如何认识的，再形容一番女孩的样貌，里面不时会出现"天人"、"女神"等字眼，末了不忘再加上一番感慨，而对我念念不忘、苦苦逼问的细节，却含混带过。

　　2002年的夏天，他靠着天台的栏杆，对我说："我真的很爱她。"

　　"爱你个鸡毛"，我喝了一口啤酒，然后告诉他，她不是你的第一个，也不是最后一个，你不要总是给我哭诉了，每次说一样的话，你烦不烦啊，过几天忘记了就好了。你要是以后不想这么伤心，干脆一刀斩断是非根，把找MM的钱省出来捐给希望工程。

　　从2000年入学时认识这个家伙开始，我已经记不清有多少次听到他这种失恋后的狂吟了。肖斯文在女人面前也很有一手，但是很不幸，他那种花花公子的作风让他的失恋和相恋一样快。他经常问女孩子你喜欢不喜欢理查·基尔，为了避免被人当成土蛋，每一个女孩子都会说喜欢，然后肖斯文就说我有着理查·基尔的小眼睛和单眼皮，于是女孩子上

1

当受骗，开始一场轰轰烈烈的恋情。一直到某一天，那些女孩子真的看到理查·基尔，肖斯文就会失恋。每到他失恋的时候，作为最好的朋友，我无疑会成为最郁闷的牺牲品。

我提起瓶子一口干完，然后又开了一瓶给他递上，催他喝酒。东湖的湖风飒飒地吹过，7月的武汉难得有这样天然的凉爽，那时的我却开始感到有些冰冷了。其实我也有话，但是我沉默了，两个月以来我天天会这样沉默。

肖斯文忽然站起来，拍拍手上的水泥灰，似笑非笑地看着我："我知道你丫在抓瞎"。我从回忆中醒来，瞟了他一眼，你知道个毛。

"我想说，苏琳哪一点不好，只是你不配人家。对人家好一点，别辜负她，否则你要后悔一辈子的。"肖斯文看着我说。

自2002年春末以来的两个月，我一直在沉默，甚至没有让寝室的兄弟知道我失恋了。老大依然天天去上自习，准备着考研；老二依然和他的老相好卿卿我我，在外面租着房子很少回寝室睡觉；老三肖斯文，每天依旧去网上和酒吧里寻花问柳；我还是玩着游戏，单单为了逃避那种极度懊悔的感觉。生活还是一样的继续，惟一不同的是在上个月，肖斯文忽然宣布找到了真爱，除此以外，生活没有什么不同。

我提起酒瓶，把整瓶的啤酒一饮而尽，然后看了看天空中的落阳。北方的那个城市里，不知道夕阳的光辉是否透过教室的玻璃，打在苏琳脸上，不知道这么遥远的距离，她是否还记得我们曾经的点点滴滴。

"我要去北京。"我望着天空，喃喃地说。

2 遥远的新东方，那是爱情的天堂，催生着无数出逃的梦想

我和肖斯文在那天酒后都醉得像一摊烂泥，都很晚才起来。我一起床就到"猫扑"发了一个很醒目的标题：

冰天雪地裸体跪求低价转让二手电脑

我巴望着快点卖掉电脑，肖斯文却在一旁笑我，问我是不是真的要卖电脑，揶揄道："朕见爱卿，每天少玩一个小时鼻涕口水都得冒出来，以后没了电脑，吊死在这八百里莫嘉山，朕就此失去一名贤良，实在有愧国家社稷啊。"

我没好气地反诘说，贫道要去北京寻找娘子，跟你这孽畜有什么关系。

我和肖斯文说话很有意思，起初根据他的行为分析，我叫他禽兽，后来觉得语气不够重，就改称他为孽畜；他似乎接受了这样的称呼，但是他的阴险就在于他并不用粗话形容我，而是时时自称为朕，以此抬高自己的身价。

肖斯文拾起我桌上的一个纸团搓成蝌蚪的形状，开始教育我，这可不行，电脑是你的命根子，爱卿卖掉电脑等同于朕要卖掉龙种一般，一定肝胆俱碎。我把他的纸蝌蚪夺过来，拉成两半，反诘道，你那几条蝌蚪早就在塑料袋和卫生纸里憋死了，还装假慈悲。肖斯文赶忙说这只是个比喻，意思是不玩游戏也别把整个电脑卖了，喜欢的事情也不是这样取舍的。我说那不是废话，我当然是要苏琳不要游戏，没有苏琳我怎么活啊。肖斯文见说不服我，就叹了口气说，我想说的是，你喜欢做什么就做什么好了，没必要为别人去改变点什么，强迫自己改变很痛苦的，你这又是何苦呢。

肖斯文说完，看看我，我没有说话。他又叹了口气对我说，如果缺钱，尽管向兄弟我开口就是了，电脑别卖了，以后不玩游戏也还用得着的。

肖斯文不把钱放在眼里是有道理的：一方面他老爸是他们那个小县城的县太爷，也算个万户侯；另一方面，肖斯文自己也绝非虎父犬子，虽然很能花钱，泡妞很有能耐，不过他弄钱也是一把好手，除了百发百中的稿费收入，大学两年间还零敲碎打四处骗钱。作为最好的朋友，我如果开了口，他必须给我送钱。

对于肖斯文经济援助的意向，我说不用了，还是卖掉吧，反正配置也很老了，来年换新的。肖斯文默不做声，站了一会，忽然他的电话响了，就去走廊接电话。那声音甜得发腻，让我打了几个寒战。

关于女人，不能不说的是肖斯文，其实我挺喜欢肖斯文这个朋友，尽管他天生淫荡，喜欢寻花问柳，但是却保证了两点：第一是绝对不把女生带回寝室里过夜，不像隔壁寝室的马老二，经常把全寝室赶出去玩通宵，把寝室里弄得乌烟瘴气；第二是很坦率，既不喜欢夸夸其谈自己的艳史，也不会遮遮掩掩自己有过的行为，除非真的是深有感触，他很少跟人讲他的罗曼史。这两点让他在我眼里成为一个并不招人

讨厌的混蛋。

肖斯文打完电话回来，看起来心情好了很多，他一屁股坐在老大的桌子上，忽然问我：哪里找苏琳。我说苏琳肯定在北京。肖斯文一脸不屑，说朕当然知道她在北京，但是北京这么大，你总不能到天安门去贴寻人启事吧。我说贫道知道她肯定在新东方，因为她亲口说过。

一说到新东方，肖斯文就皱起眉头，说明他在思考，良久他感叹道，好地方。他点上一枝烟，望着窗外，一副很沧桑的样子：

"我大一暑假就在新东方，我认识了一个北理的女生，那是真爱，我真的爱上了她，想着毕业后能跟她结婚。她真的是太美了，如果你见到她一定会惊为天人。"

"天人？"我一脸揶揄，因为这个词实在在他那里被用滥了。

"对，她太美了，我和她第一次见面，我们就相爱了。"肖斯文继续一脸陶醉，我一脸向往地问，然后呢。他说那个女孩子的男朋友天天闹自杀，最后实在没有办法了，朕回武汉就再也没联系过了。我一脸迷惘，因为实在听得不算过瘾。

肖斯文意识到自己漏了口风，急忙打住，妈的，了解这么清楚干嘛。转而又说："这样好了，后天英语考完你就可以动身了，你就别着急背单词了，有我在，你不用怕英语过不了关，你好好准备一下，说真的，电脑别卖了，差点钱跟兄弟我开口就行了。"肖斯文说完看看时间说，得了，就这么着，朕现在还得出宫一游，估计今天晚上不回来了，把后宫看好，要隔壁的那个瘟神不要动我东西，更不要翻我的床，否则我回来打他人。我长舒一口气要他安心去。

瘟神的真名叫王洋，是隔壁寝室的，如果不是因为他和老大是老乡，我们肯定会在门上贴"王洋与狗不得入内"的纸条，但是这家伙就是那种不知趣的类型，依旧每次进来蹭电脑用，每每还在用完电脑以后不记得清除他上黄色网站留下的病毒。如果蹭不到电脑，就到处翻东西，只要合胃口的，就会不打任何招呼拿到自己寝室，更可怕的是他长了一张喜欢搬弄是非的嘴，没有人喜欢他，他也没有任何一个朋友，但他似乎并不知道，依旧我行我素，还自得其乐，毕竟碍着老大的面子不好发作，所以对于我和肖斯文，他是个非常令人郁闷的人。

我在线上等消息，希望快点有人回复，过了一会王洋进来了，想开肖斯文的电脑玩，我连忙阻止要他别在肖斯文机上玩。王洋很不知趣地走到我的电脑跟前说，把你的借我玩一下，我去找我的一个朋友。我还没说同意，他就已经准备抢我的鼠标了。我无奈，不想在这个节骨眼跟人争吵，也免得他在寝室乱翻东西让我不好交代。

王洋看见我没有关的网页，问我是不是要卖电脑。我说是，现在缺钱，卖个千来块钱贴补一下。王洋盯着屏幕，一副老板派头，要我便宜点卖给他。说实话我很不想便宜这家伙，甚至想把他打一顿，说实话如果不是因为他和我们寝室那位厚道的老大是老乡，我和肖斯文早就操练他了，不过话又说回来了，这台电脑到底什么时候卖掉我的确没底，我更希望能早点脱手，于是当时我随便叫他说个价。他给我砍了三分之一，如果是平常听到这个价格我估计会暴跳如雷地把他轰出寝室，但是想到后天我就要走，也无可奈何，就依了他了，当时他说只有三百块，权当定金，后来我离开武汉的时候，他真的把剩下的七百块交给了我。我清楚地记得，刚来这座大学的时候，王洋作为特困生，是贷款上学的，为了筹齐来上学的路费，他母亲贱卖了家里一头未出栏的猪，但是他在学校的开销一点也不比我甚至肖斯文小，当时我并不知道他这次买电脑的钱能从哪里来。一直到2004年夏天，我在莫嘉大学吃的最后一餐饭上，隔壁的马老二才告诉我，王洋当初为了买电脑，逼他母亲卖掉了家里仅存的一头过年的猪。

3 迷离扑朔的美丽灯火，好奇的眼眸相互邂逅

我走的时候没有等肖斯文回来，只是找王洋拿了七百块钱，然后给宿舍草草留了张便条就踏上了北上的列车。

就在上个学期里，有个大三的姐姐逃学去甘肃玩，结果死在了那边，因为没有同学反映，学校一直不知道，到了后来警方根据学生证联系学校，搞得大家都很被动，为此班长被系里老师再三嘱咐，回来后给我们传达精神："想去哪里玩，一定要和同学通气，千万保持联系！"

我和苏琳也是通过旅游认识的。那次学校某部门组织学生赴京，老大当时是院里的积极分子，把这个免费旅游的机会扒给了我。我和苏琳登上火车时还素不相识，回来时就已成了朋友。

2002 年夏天的 37 次列车与一年前的并无不同，橘红色与白色相间的车厢将会像一只美丽的蝴蝶，飞过麦田，飞过原野，飞过城市的灯火，飞过曾经伤痛的记忆，到那个城市找到曾经熟悉的爱情。

上车的时候黄昏已尽，还能看见最后一缕夕阳，到了汉口，连最后一缕夕阳都看不见了，以往坐火车的时候我总喜

欢看着窗外的景色打发时间，但是今天恐怕不行，被夜笼盖的车窗外什么也看不到，我躺下开始翻起原来的日记。我翻着日记本里关于苏琳的片段，从第一次在话剧演出的时候看到她，到这三天来对她的憧憬，一切都历历在目。日记虽然不能让生活保鲜，但是却像一桶生活酿的酒，打开它，芬芳四溢。

灯很快就熄了，我在黑暗里发呆。列车的空调吹得我发抖，我索性掀起毯子，坐了起来，一看表才十一点半，还没到困的时候，就决定下来走走。我嘱咐邻床的帮我看着点行李，其实我的行李只有一个包而已，没有什么值钱的东西，所以并不担心有人乱翻。

车厢里大多数人都还没睡，有的斜卧着看书，有的几个人开着小灯坐在床上打牌，有的情侣还在毫不避讳地卿卿我我，他们和我一样带着各自不同的想法去那个遥远得仿佛远在天空中的城市，去寻找各自想要的东西，却挤在同一间车厢里，一同进行这十几个小时的旅程，这不也是缘分吗？只是大部分人没有意识到罢了。

在车厢接缝的吸烟处，我看到了一个女子。因为漂亮，不禁多看了两眼。她穿着一件很合身的女式衬衣，袖口的花边很俏皮，FERRAGAMO 大皮带扣和 BALLY 的小皮鞋搭配得当。相比之下，我的脸有点红，上身穿着一件已经洗得发黄的大了两号的东啤的宣传 T 恤，我脚下的沙滩鞋是花十五块钱在卓刀泉市场买的处理货，那条阿迪达斯的运动短裤倒是真的，不过原主是肖斯文。

我好不容易才从这种羞愧中回过神来，低着头准备到下一节车厢逛逛。刚想朝前走，一个乘务员推门出来，很礼貌地说前面是软卧车厢，马上就要休息了，要我不要乱走。我回过头，耸了耸肩，有点尴尬地看着她，朝她做了个无可奈何的表情。她也浅浅地笑了笑。她问我哪里逛过来的。我很无辜地说很远啦，我也不记得是哪里了。反正睡不着，就逛到这里了，坐着实在寂寞，周围的人也没什么好谈的，所以……就逛到这里来了。

后来我和她闲扯了两句，觉得并不投机。说我得回去，要她继续，我望了望黑茫茫的窗外，尴尬地笑了笑，说完转身就要走。

"现在还早，在这里陪我说说话吧。"她看了一眼窗外，忽然抽出一包 ESSE，又看了看我，递上一枝细长细长的 ES-SE 问，"要不要烟？"我好不容易才回过神来笑了笑，我不喜欢抽烟，特别是这种女士烟，太浓的香料味反而遮掩了烟草原有的香醇。于是我掏出一包芙蓉王，这是我在上车前用最后一点零钱买的，算起来也是身上惟一比较值钱的家当了。

我要她抽我的，她笑着摇摇头，细长的 ESSE 却依旧夹在玉葱般的手指间，没有收回去的意思。我讪讪地接过来，装进自己的烟盒，厚着脸皮道："留着做个纪念。"她没说什么，笑了笑。我看了看表，看看她精致的脸，放松了一下紧张的神经："的确还早，好吧，开始聊天吧。"

她于是就直接问我的名字，我觉得无趣，随口揶揄着，心里不自觉开始产生关于美艳少妇的醍醐思想。当年肖斯文传授一些生意经，说有一回他在酒吧里勾引寂寞少妇，开头暧昧诱人，最后却是虎头蛇尾，特别是问到他"那最后怎么样了"？他总是漫不经心："知道这么多干嘛？想打听我的独得之秘

啊。"几天后，他和传说中的美艳少妇幽会回来，没有了往日的红光满面，却是两眼青淤，右边脸肿得老高。苦主捂着肿起的半边脸嗡声嗡气道："奶奶的，百密一疏，忘记学点武术了。"第二天肖斯文的桌子上就多了张××跆拳道会馆的卡片，上面贴着他受伤前的大头照。结果在学拳的第一天，肖斯文回来时左右两边脸全肿了，我又问他是怎么搞的，他用冰水袋敷着脸几乎带着哭腔郁闷道："妈的，真衰，居然跟那王八蛋在一栋楼，还是打泰拳的。"那几天肖斯文就再没了动静，又过了几天，肖斯文养好伤后，我就天天看到他早晚到体育场和体育生一起练长跑去了。

走神到这里我居然噗嗤一下笑出声来。她见我笑得莫名其妙，不解地问有什么好笑。我急忙解释是想起一个同学来了。她很好奇地问我是哪个学校的，我说是莫嘉大学，新闻学院的。因为我知道她大概还要问我什么专业之类的问题，所以就和盘托出了。

大概是碰到校友了，她刚才有些冰冷的表情显得有些融化的痕迹，似乎显得有些高兴，她说她是商学院的，毕业好几年了，却没有说是哪一级的，大概是不想让我知道她的年龄。"是校友哦，呵呵，感动死了。"我一脸天真地回应道，小男生的本质暴露无遗。"刚才你说你那同学的故事是什么，有这么好笑么，讲给我听听。"她双手交叉垫着后面的窗口不锈钢扶手，向后一靠，摆出一副听故事的姿势。

我也不好隐瞒，就把肖斯文的故事隐去人名地名原原本本地讲完。讲完后我双手一摊，舒了口气，说讲完了。她始终在听故事，起初还在笑，忽然笑容僵住了，显得很认真的样子，直到我提醒她故事讲完了她才醒过神来，淡淡地笑了笑，这一次她的笑好像很由衷并不像开始那种很职业化的微笑。她忽然问我，这个故事里谁对谁错？样子显得很认真。

我也不敢怠慢，皱着眉头想了想说其他的事情我不大清楚，只是觉得我那同学很无辜的，毕竟是你情我愿的事情，有事好好说，也没必要动粗吧，不是明摆着欺负人吗。

她奇怪地问我，你不是说你那个同学特别喜欢拈花惹草吗，怎么还为他说话啊？她的眼神有些凌厉，我急忙回避，抬头望着车厢顶想了想："也不是，看他被打得真的很惨，而且他也不是那种一次泡很多女孩子来骗感情的，说起来只是他相恋失恋比别人快，也不是真的那样可恶。"

"那如果那个打人的男人非常爱那个寂寞少妇呢？"她继续问，还是显得那样认真，让我有些不安。"那就不知道了，如果没有结婚的话，我觉得那就随便随便啦，算是公平竞争啊，就算真的结婚了，也有得商量啊，哪怕去法院告状都行的，反正动粗就是不对啦。"我快被这几个无头无尾的问题问得焦头烂额，只能再次摆出原来的观点。"那问点别的吧，比方说你多大了？"她也看出我提不出什么创造性的建议，所以换了个话题。我对这个问题显然并不感兴趣。很没好气地说这有什么好问的，二十一岁啊，马上就二十二岁了。

"都二十二岁了"，她揶揄地笑着，我感觉眼睛没刚才那种刺痛了，倒有些热辣辣的，张口来了一句："三天不学习，赶不上十六七。"听我这么一说，她旋即叹了口气道，我每年生日的时候，都会觉得自己老了一岁，年轻真好。我安慰说你还是这么个年龄，看起来跟我差不多大，不要这么悲观。

她继续叹气，然后换了个话题，问现在学校里怎么样，

我陪着她扯起了学校的事情，不知不觉已经到了凌晨了，打了个呵欠。我们交换完电话，互道了晚安（其实应该是早安）。我正准备转身走，她忽然问我去北京做什么。我笑了："我等这个机会等了三年，不是为了证明我比人家强，而是要告诉你们，我失去的东西，就一定要拿回来。"说完转身要走。

"等一下。"她忽然叫住我，我转身问她有什么事。她说没什么，只是很感谢我陪她聊天，说完打开身后那扇门，走进了软卧车厢，留下我一个人莫名其妙地看着门关上。

我回到自己的铺位，已经快四点了，我在想，明天早上，我就可以到那座天空中的城市了。夜里，我做了一个梦，梦见我成了一个走投无路的土匪，绑架了苏琳做人质，捏着炸药在北京朝阳区的住宅楼里被军警重重围住。

4 我匆匆来到这片大地啊——就为了更快地与它离别

　　我的梦是被乘务员打断的，换票使我避免了拉响炸药玉石俱焚的悲惨结局，回想起来，仍然后背发凉，就再也睡不着了。窗外是河北的农村，田野在晨曦中显现，充满了希望与生机，我仿佛真的一夜之间通过一条黑暗的、狭长的隧道，来到这座天空中的城市。

　　下车的一刹那，橘红色的阳光仿佛瞬间融化了我的全身，北京的空气比武汉干燥，却浓缩着甜味，仿佛空气中都洒满了蜜糖。

　　到北京的时候是七点刚过，在车站找了个水嘴洗了一把脸，开始盘算，我并不知道她是否真的在新东方上课，也不知道她几点下课，好像所有的决定都是瞬间在脑海里构成的，但是显然，对于我来说这一切似乎并不重要，重要的是既然做了决定，就一定要行动。

　　我转了趟车，上了四环，叫了一辆出租车，开始向西北奔去，一切的憧憬都已在一路展现，北京堵车的胜景也无暇欣赏，我只是不断地在地图上找到自己的位置，好判断我离那个地图上的大红圈圈到底还有多远。我又想起了

14

肖斯文的话——新东方，那是一座爱情的天堂。不知道天堂是不是属于我的，而这个即将向我展开的天堂里，却真真正正有着我的天使。

"到了，哥们。"的哥长舒了一口气道，估计他也很难遇到像我这种一路上一言不发的无聊顾客。

我付完钱，抬头看着这座绿白相间的房子，这是一栋再俗气不过的建筑，并不像一个天堂，建筑的轮廓没有任何有价值的曲线，俗气地包着不锈钢的门柱已经有几个凹坑，还能看到胶水粗糙的黏合痕迹，绿色的玻璃幕墙照得我有些眼晕。门口来来往往的人不多，说明我赶得正是时候，我找了个不太显眼的阴凉地方坐下，买了一份报纸和饮料，坐在了摊主的小板凳上，有一搭没一搭地和他聊上两句。

快到中午的时候，出来的人渐渐多了，我努力睁大眼睛，不敢放过任何一个人，害怕她的身影真的无意中从我的视野里流过。太阳已经升到了顶端，把一切染得金黄，我揉了揉眼睛，当我再次睁开眼睛的时候，我看到了苏琳。

她和一个男生走在一起，是杨风，他干净的短发，一身清爽，白色的衬衫角在夏日的微风里飘荡，这是一个香港的二流品牌 G2000，肖斯文曾经有过一件一样的，被他酒后吐得一塌糊涂。我当时脑子有一点晕，只有一个念头：他的衣服怎么这么白呢？

后来我每次再回想 2002 年夏日的中午，我在北京的这段经历时，无论怎样努力，都不能记起苏琳当时的衣着打扮了，也许是穿着一件红色的小 T 恤，像一团火一样在他身旁跳动，也许是一件黑色的小背心，万种风情，笑靥如花。

15

我只记得当时我的眼前一阵发黑，差点站立不住，冷汗瞬间湿透了东啤 T 恤。这件衣服是东啤上次学校做活动时我排了好长的队领的，那时候苏琳还是我的朋友，经常拿我这件 T 恤开心，我却总是笑着说：纯棉的凉快，如今却再也不会有这样的对话了。我呆呆地站在那里，任灼热的阳光穿透粗糙的针织布料，痛苦地烧蚀着我每一寸皮肤。

我不敢去看这一切，我希望自己的眼睛会欺骗自己，无论如何我都不能不接受这个事实，我期盼的结局居然是这样，我没敢上去跟他们打招呼，而是一言不发，看着他们的背影慢慢远去。

2002 年的夏日里，当我再次走上这个城市的街头，心底的酸涩随着脚步的沉重开始袅袅地在胸中飘散开来。在一年前刚刚认识苏琳的时候，我们曾经快乐地在这个城市的商场大街漫步，故宫的红墙绿瓦间留着我们天真的誓言。然而，仅仅是在一年之后，我再次走上这些曾经洒满我们笑语的街头，却只剩下我自己一个人形影相吊。

2004 年的时候，我在北京有了一次短暂的实习。那时苏琳已经彻底从我的生活里离开，我重新走上那些熟悉的路段，心中却已经不再有波澜。直到有一次，偶尔走进一家商店，看见大厅 MTV 里陈奕迅正在反反复复地唱着：

走过渐渐熟悉的街头，

十年之后，我们是朋友，

还可以问候，只是那种温柔……

听到这里，我心中一痛，拨通了苏琳的号码，犹豫道："苏琳，我们还是朋友吗？"

电话那头的苏琳沉吟了一会，不知是矜持还是酸楚，转

年华若樱

而轻快地笑道："我们一直都是朋友啊。"

我涩涩地笑了，收了线。抬眼看，电视里的陈奕迅在人潮涌动的街头无助地挪动着脚步，恍然间便是当初的我。

2002年，在北京的街头，在那个著名的新东方门口，我最后看了一眼苏琳，她美丽依旧，但往昔的爱情却如烟一般从我的世界中消逝，她会随另一个男生一起飞升，去一个真正的天堂，而我却只能在地上无力地号啕。我再次忍住即将崩溃的泪水，闭上眼，转过头去，拼命地想逃走，双腿却充满苦涩，动弹不得。

那一瞬间，只感觉天下之大，我却再也没有了容身之地。

那天夜里，我一直走在北京那长长的路上，直到华灯初上。蜡黄的灯光让人有些眼晕，我不知所措地坐在这个陌生的城市的马路牙子上，呼吸着令我窒息的气味，让人害怕。我打开烟盒，发现只有两枝烟了，一枝是芙蓉王，一枝是ESSE，细细长长的ESSE实在不适合男人来吸，但是把玩起来却多了几分滋味。我犹豫了一下，还是点起了那枝芙蓉王，深深地吸了一口，吐出一圈淡淡的烟，灯火下融化在异乡空气中。抽完烟，我，直奔街边的机票代办处，没有犹豫，买了张回武汉的机票。

来北京之前我带足了钱，为的是能和苏琳一起多待几天，但是显然，这种努力已经没有必要了，我开始有一种幻觉，幻觉里这个天空中的城市好像真的要陷落，从天空落在地上摔得粉碎。我必须赶快离开这里，要多快有多快。最早的飞机是早上八点，我在附近找了间小旅馆住下，把手机闹钟定到早上五点，安然倒下。

17

如果仔细回忆那天旅馆里我是否真的做了有关苏琳的梦，我真的记不清了，只有一些细小的碎片偶尔值得玩味，我梦见了我们看见大火漫过远方的城市，焚毁了我曾经自豪的风景，在僻静的角落，在远离现场的地方，桃花灿烂，坟地埋藏着孤独的生命，漫天飘飞的桃花就像我死去的爱情，骄傲地开放，洒满大地。

5 凡是爱吻落叶之雨的人，见到那棵树肯定喜欢

从机场回来的感觉和去以前的感觉大不相同了，武汉的空气湿润得多，回来的车里空调催人入梦，从机场到莫大，一个半小时，我居然睡过去了。迷迷糊糊回到寝室，还是继续睡，大概是太疲惫了，所以很香甜，居然什么梦也没有做。

一觉醒来发现已经到了傍晚，肖斯文正从操场练完长跑回来，一身是汗。见我还在床上惺忪翻滚，一眼就看破了天机："哎，可怜的汪平兄，女人的心肠还真硬啊，爱卿又孤枕难眠了是不是？"

我从床上一把翻起来骂道："王八！哪壶不开提哪壶，尽揭老子的伤心处。"

肖斯文见自己一眼看破玄机，得意道："什么大不了的，才过一天不就好了吗？"然后递过来一罐啤酒："女人啊，固然重要，但是不要为那爱情气坏了身子，自己折磨自己没谁会同情你的。"

我无语，多少感觉肖斯文的话有些道理，想想并不是与苏琳的永别，该伤心的也应该伤心过了，暂时没有必要再为这事情多想了。

"你去洗脸刷牙，我冲个澡，等下一起去小观园吃饭，朕要亲自为爱卿接风洗尘。"传说历史上的嘉靖皇帝每次摆宴请客就是请大臣吃莎其玛，比较起来，肖斯文还是大方多了。我心受了他的好意，但嘴里却骂道"滚你大爷的"，气哼哼地从床上爬下来，洗漱去了。

小观园在学校里面，是那种学生之间低层次腐败的最佳去处之一，由于进出都是学生老师，倒也不显得拘谨，肖斯文忽然告诉我，最近他长跑成绩稳步提高，1500 米可以跑出 4 分 12 秒了，估计到关键时刻正常人是追不上他了。"你练长跑干嘛？"我揶揄道："你还真被人家老公给刺激了。"

"这叫防患于未然，你以为做一个采花大盗是这么容易的事情吗，这需要……"肖斯文说着，电话就响了，他一边准备找个安静的角落一边补充道："技术细节我以后再跟你说，总之，这是手艺活。"

我笑了笑，夹了一筷子菜和着啤酒喝下去，等肖斯文回来。

肖斯文接完电话回来，一脸遗憾地告诉我，过几天他老爸要到武汉来办事，他估计很难有时间到处玩了。

"不行，最近火大，老爸来了我肯定憋得慌，得泄火。"肖斯文皱了皱眉头，瞭着天花板一脸阴险。

"贫道最近修身养性，不想……"我知道他的意思，急忙推辞。

"道兄何必如此执著……只是按摩而已。"肖斯文笑道："你以为是做什么啊，最近你也累了，我们一起去放松一下。"

我感觉这样也不错，反正是陪朋友，反正也是累了，反

正还是肖斯文一条龙结账，我也没想这么多了。

小观园吃完饭，酒足饭饱之后，肖斯文下楼就拦了一辆的士去虎泉。

虎泉的街道在夜幕下破败得像吸血鬼的巢穴，惺忪的街灯下街两边影影绰绰的发廊里散发出暧昧的灯光，诱惑得让人感到骨头里都充满了泡沫。

"这一带的发廊呢，参差不齐，不过遇到我这样的火眼金睛就不一样了，你瞧，那一家不错，里面全是附近经院的女生，比较卫生安全，估计也比较合你这样的口味。"肖斯文指着前边一家并不起眼的发廊道。肖斯文大概是酒喝得有点高了，又向我泄露了不少他的生意经。我则洗耳恭听，什么也没说。

进了发廊，看见小姐给肖斯文打招呼，连呼老板，让我有些诧异，肖斯文倒显得很习惯，找了那个打招呼的女人去做按摩，然后问我找谁，我是第一次来，自然不太习惯，迟疑间，一个身姿曼妙的女人就牵住了我的手，带我去后面的一间小房间。

发廊粉红的灯光总是很狡狯地把所有女人都照得像仙女一样，同样很狡狯地让你无法辨认她实际的模样，肖斯文以前跟我说过，女人是很善变的动物，或许昨天夜里还在云雨间海誓山盟，第二天走在街上你就认不出来她了。发廊正门的帘子后面是一间很有趣的小房间，房间被三夹板隔成若干小间，每个小间里有一盏 15 瓦的红色小灯和一张一米左右宽的小床，床边摆着一个凳子，她就坐在那个凳子上，打开灯，叫我趴下，开始按摩。

肖斯文假装斯文地按摩了一会，就和那小姐说笑着上楼去了，那牵着我进来的小姐正在跟我聊天，看起来她是姐妹中最小的，低胸的小T恤把乳沟凸显得很夸张，但还是多少显得有些单薄。两人聊天的内容很无趣，无非是一问一答，多少岁，干什么的，当然，这些问答都是假的多真的少。我说我25岁，在一起来的那人公司里做采购，主要是采购一些生橡胶，她好奇地问是不是做轮胎的啊，我说不是，是做避孕套的。然后她又很好奇地问避孕套是什么牌子的，我说保密，她又问我的名字，我说我叫王洋，我又问她的名字，她说她叫小琳，还强调是王字旁一个森林的林，这一点让我很郁闷，大概是出于职业的习惯，她看出了我的郁闷，也没有继续问了，只是专心做按摩，她的手法很不错，直叫人浑身酥软，但是强烈的脂粉味道又让我迷糊得不知方向，在这种暧昧而又朦胧的感觉中，我仿佛在做一个梦，我又梦见了和苏琳邂逅的日子，梦见了在北京与苏琳没有完成的相遇与告别，梦见了火车上的那个准备去北京逃避点什么的校友姐姐。

"好了，可以了，我们上楼去吗？"小琳的声音把我从梦中惊醒。我神经质地忽然坐起来环顾四周，把她吓了一跳。"苏琳呢？"我喃喃着，很快就发现自己没有区分开梦和现实。"我们上楼去好不好，做完了就什么都忘记了。"她的声音很暧昧，中间还带着那种很职业的洞察力。

"不用了，我满足了。"我狡猾地指了指楼上："我先走了，楼上的老板会帮我结账的。"然后就飞也似地穿上外套，走出了发廊。

2003年年末，在我和肖斯文翻脸前的最后两个月里，我又到了虎泉。发廊依旧，只是小姐换了一茬又一茬，物是人非多少让我有些兔死狐悲的伤感——时间长了倒对这里有了

几分依恋，虽然不常进去，进去也只是做做按摩，却多少能在短时间内找到一些安慰。而那时的肖斯文，为了考研，找到了这块远离闹市的地方住下来，花高价在水果湖的那座小庙里找了间厢房住下，但是偶尔，他也会出来散步，或者到我这里，或者去发廊，或者我们一起去发廊。依旧是他上楼，我则在楼下按摩。

出了发廊，我叫了车回学校，车到校门口就不能进去了，我看了看时间，发现还早，就盘算着在学校附近闲逛。学校对门就是著名的酒吧街，酒吧的缝隙里也有不少发廊，我很奇怪肖斯文这种不重名誉的人为什么不就近解决，还偏要打十几块钱的的士去那种偏远的地方。但是不能不说的是，他会经常出入这附近的酒吧，因为他告诉我，在里面可以找到他需要的那种类似爱情的感觉。今夜酒廊门口人来人往，显然在搞摇滚演出，至少现在，我不太喜欢这种闹哄哄环境，讨厌那些在台下毫无节奏摇头晃脑的女孩子，更不喜欢在我喝酒的时候乐队和乐队之间像西部片里那样大打出手，把整间酒吧砸得一塌糊涂，让人没法安心。有间茶楼倒是不错，可惜在上个月也被拆掉了，我实在不知道该去哪里，也不想回寝室，所以只有像游魂一样在这条街上闲逛。

迷茫间我随便推开了一间酒吧的门，甚至没有注意酒吧是什么名字，这间酒吧并没有什么新意，不过作为一个消磨时间的场所应该是足够了。

酒吧里，紫色的灯光和我刚出来的那间发廊一样幽暗，不过感觉好了很多，我叫了一瓶科罗娜，坐在高高的酒吧凳上，斜倚着吧台，看着紫光灯下来来往往的人群，呷了口啤酒，感到一丝惬意。

忽然我整个脑袋一麻，才意识到发现熟人了。女生卫婕挽起平日的披肩的长发扎成一束马尾辫，上身黑色的紧身T恤，下身一条贴身的牛仔，一双紫色的尖头小皮鞋，青春飞扬得像一朵花。我没有来得及给她打招呼她就先发现了我，把我约到一张台子上坐下。

我问她："你暑假没回去？"她看了看四周，声音稍稍压低了半度："不想回去，打几天工吧。"她接着也问我为什么没回去，我说不大想回去，武汉不是挺好的吗。她就开始笑，我说有什么好笑的，她说这样不是很好吗？暑假这么长，总算有个伴了，我说，我又不是天天在这里晃，难道当我是个大闲人啊。她说，你不是大闲人还是什么，每次大课都很少看你去上，每次上午辅导员查寝你都在里边睡觉。我只有反驳说，那是因为这些课听了没有意义，上午在寝室睡觉也是为了养精蓄锐。她又问我最近在干什么，我说我一直在看书，她又想问看什么书，忽然意识到老板的脸色有些难看，于是就起身告辞，说下班了请我吃宵夜。

跟卫婕也算是认识快一年了，属于那种不冷不热的朋友，认识她是我在大一一次话剧演出的时候。那时候我和肖斯文都还在文学社里做理事，说白了也就是负责活动的组织，顺便给社长和社团部跑跑龙套，那次话剧演出是因为我们美丽的女社长与伟大话剧社的社长分手，为了站好最后一班岗跳好最后一支舞，两个社团又联合在一起共同制作一部年度大戏。有能耐的肖斯文负责联系赞助，而没能耐的我，就只有跑跑演员和服装的龙套。

当初那个先锋实验话剧大概讲的是一个不上进的男生和一个恨男朋友不上进的女生的爱情故事，搞得神神鬼鬼。当

时的导演是话剧社的男社长，是他钦点卫婕扮演女主角。卫婕和我一届，刚进学校时就听到关于校花的种种传闻，但当第一次见到她时，才发现的确名不虚传，比起继教院那些化着浓妆珠光宝气的女生多了几分清纯，比起那些整天埋在自习室里的女生又少了几分木讷。当时她以不好见人为由婉拒了话剧社的邀请，本以为她也会婉拒我的邀请，实在想不到她居然很爽快的答应了。

卫婕在话剧演出后就很少和我联系了，只是偶尔给我打几个无头无脑的电话，不时以学姐的身份教训我不认真上课，除此以外我甚至很少见到她，除了电话里偶尔向我述说一下最近遇到的开心事，我没有她的任何消息。更多的时候卫婕像一个神秘的影子，非常偶尔出现在我的视野中，偶尔在校园某个孤单的、不经意的角落里，偶尔在她给我无缘无故打过来的电话中，偶尔在寝室里谈论美女的卧谈会上，其他时候，我并不知道她在做什么，也不知道她在想什么，有苏琳的日子，这些片段都不过是一些可有可无的碎片而已，随便一股清风，都能将它吹得无影无踪。

我端详着这个快喝光的酒瓶，它在紫色的灯光中折射出单调而迷乱的色彩。我喝光了最后一口啤酒，埋完单，想和卫婕说声再见再走，却发现她和一个中年男人在另一张台子上聊天。我很不好意思地挥一挥手，示意再见。她却似乎并不在意，微笑着给我说了声再见。

"他是谁？"我推开厚厚的门准备离开，听见那个男人问道。

"我的一个朋友。"卫婕说。

6 把你赠送给我，作为永远的纪念物

我回到寝室，肖斯文已经到了，连声说我没义气。我反问说，要怎么才有义气，陪你瞎搞就算够意思了？肖斯文也无话可说，然后就开始劝我，什么"现在人都飞了，不要把自己憋得慌"，什么"这本来是个很美好的事，你为什么就是总是把它想得那么肮脏呢？"我就开始反驳了，说我跟苏琳在一起一年多真的没有来过，你以为人人都像你一样三分钟不见女人就恨不得强奸地球，话才说到半头，我的手机就响了。

我到阳台上去接，原来是卫婕打来的，卫婕说她在校门口请我出来吃宵夜，我说还在寝室，算了，她说，反正我也没事，我到你楼下来等你吧。我没办法，只好说，那好吧，你等我会儿，半小时之内到校门口。

"伪道学啊。"我刚挂电话肖斯文就揶揄道。我说你怎么知道是个女的，肖斯文得意地说，看你这家伙说话的德性就知道了，你哪天跟男人说话这么温柔我立马就搬出去，避开你这个死玻璃。我无语，然后他又准备说我有做禽兽的天赋，我无语，直接打住，嘱托肖斯文如果家里打电话来记得

说我在同学那里，就径直下楼去了。

莫嘉山下黄白的路灯照得我有些眼晕，远远的，看见卫婕站在学校门口的牌楼下，把刚才扎成一束的头发散开，在路灯下多了几分妩媚。她见我来了就拦了辆的士，我问去哪里，她说去吉庆街，我急忙说太远了，怕晚上回不来，就在门口吃也可以。她说怕了你了，门口的烧烤很难吃，干脆折衷去虎泉夜市好了。我这下没什么好说的了，只得同意，只是更郁闷才过几个小时又得去一趟虎泉。

好在虎泉夜市离我去的那家发廊有一些距离，我不用担心被小姐缠上而破坏形象，卫婕先在门口新疆人那里买了一把羊肉串，又叫了一些鸭脖子，随便找了个地方坐下，叫了一大盘口味虾，还有一些零碎的烧烤，她问我喝不喝啤酒，我说可以喝一点，她就一人叫了两杯扎啤。我觉得很奇怪，问她为什么今天忽然要请我来夜市宵夜，她说我不是跟你说了晚上请你吃宵夜的吗？谁叫你走这么快。我说我很累，今天早上才赶回武汉。她又问我去干什么了，我心里一抽，嘴上却说没事，去北京看个朋友。她又问你女朋友呢，我恨恨地道："跑了。"

这时候老板端了口味虾上来，一大盘，红红的，张牙舞爪显得有些狰狞。她又问我最近一段时间在干什么，我说没什么事情干，看看书上上网玩玩游戏什么的。她说那可不行，然后又以学姐的身份教导我说一定要好好学习，以后做记者很有前途的。她开始大口大口地喝酒，连连跟我干杯，但是我很奇怪即使如此她的仪态依然不显得粗野，我于是很关切地问是不是喝醉了。她说不要紧，我又问她的男朋友呢，她也像我一样淡淡地说别问了，然后剥了一块白白的虾

仁分作两口吃掉。四杯扎啤喝完了，来收杯子的小姑娘很可
爱地问我们还要不要扎啤，我正准备说不要，却被她拦下，
要再来四杯。

我一边喝一边倒，四杯终于喝完了，她还想继续要酒
喝，我连忙拦下，她显然有些醉了，执意要喝，我怕她一下
吵起来或者哭起来场面不好，于是就要小姑娘再来两杯，盘
算着到时候过一点酒到我杯子里来。酒来了以后她又咕噜咕
噜了几口，她喝的频率实在太快，让我来不及趁她不注意把
她杯子里的酒倒到我这边来。她忽然要我坐到她那边去，我
怕她又要闹，就照办了，她要我坐得近一些，我就坐近了，
刚一坐过去她却忽然躺到我怀里。

她的身体很软，让我的心扑扑直跳，想着对不起苏琳，
心里一阵阿弥陀佛。她开始在我怀里哭，说她最近很委屈，
我说委屈就别理人家怎么说啊。她又说她自己很可怜，没人
爱，没人要。我说怎么会呢，你这么漂亮，肯定会找到意中
人的。她没理我，又开始哭，我以为她是最近失恋了，喝着
喝着酒一下想起了伤心往事，我就说别哭了，什么都会好
的，过去了就好了。她又开始哭，叽里咕噜不知所云，一会
说这里的鸭脖子没有吉庆街的地道，一会又说谁谁谁老是欺
负她。我见她喝醉了，就叫老板结账，她却还是不肯走，哭
着搂着我不放，让我很是尴尬，我连忙示意老板暂时不要结
账。她又开始重复前面的话，说自己命苦，没人要她，我说
没事的，真爱哪里有这么容易找。她又问如果是我要不要
她，我怕她继续胡闹连声说要，当然要，你这么漂亮，能有
你这样的女朋友我一定三生有幸。她又不理我，又开始哭。
我抚了抚她柔顺的长发哄道："好了，都过去了，我们回去

吧。"于是她就很顺从地让我把她扶起，刚要付账，却被她把账单一把抢过，摇晃着看了两眼，从钱包里扯出两张一百块说不用找了。

我还是接过老板找的六十块钱悄悄塞进她的那个小皮包，在夜市门口拦了辆的士把她扶上去，那一瞬我回头看了看夜市，喧闹的人群，破旧的帐篷，通明的灯火，像雨果的时代，巴黎城里吉普赛人燃着篝火的营地。

2004 年，我也会偶尔到这里吃宵夜，门口的新疆人没变，只是胳膊上又多了几个烟花；卖鸭脖的大嫂依旧很机械地吆喝，说这里的鸭脖都是从吉庆街趸来的正宗货；卖扎啤的小女孩脸上则多了些雀斑，笑容却显得有了几分妖媚；吉普赛人的帐篷也更破了，还长了一层青苔，当初和卫婕吃宵夜的那个帐篷下，老板还是当初的老板，记忆力好得惊人，居然会打趣地问起，那个和你一起喝醉酒的姑娘，现在怎么没来。

2002 年那个充满了油烟的夜里，我第一次遇上了充满激动的彷徨——我上了的士才知道我们已经没地方去了，已经快两点了，把卫婕送回寝室肯定是万万不能的，在肖斯文和老大面前我一定有理也说不清，更何况寝室里看门的大爷肯定要管闲事。卫婕的寝室我大一时去过，现在肯定已经搬了，我问她寝室在哪里，她依旧含混不清，嘴里呢喃着什么都是骗子之类的。我只有叫司机带我们去附近的宾馆找个房间休息一下。

司机把我们带到了学校附近的一个宾馆，我定了一个标准间，前台的服务员大概是见多了这种场景，面无表情地收完钱办完手续。这时，她像一摊烂泥，我很吃力才把她抱上楼，摊在床上。她全身被汗湿透了，衣服紧紧贴在身上，完美的曲线诱惑得让人害怕，我却想到她应该洗个热水澡了，想叫醒她，她只是翻了个身，没有理我，我也不敢把她抬到浴室里去洗澡。空调太冷，我怕把她吹得感冒，就给她盖上一床毯子，我还是想着回去，但是刚走到门口，却又开始担心起她半夜会吐得一塌糊涂没有人照顾，于是又折回来。

我站在窗口点了枝烟，城市的灯火依旧辉煌，甚至能看到学校那条林阴道里，树丛中那些影影绰绰游魂般的身影，我一阵眩晕，事实上我也喝高了，但是从卫婕躺在我怀里那一瞬开始，在卫婕混合着酒气和汗香的体味中，我分明感到了苏琳的气味在空气中弥漫，这种气味让我无比清醒，仿佛苏琳的影子再一次与我如影随形。

那条林阴道，是我和苏琳经常漫步的地方，我们经常顺着这条路爬上莫嘉山，在山顶树林里，阳光被茂密的树阴打碎，斑驳于我们全身，仿佛在一个晴朗的夜里，满天的星星都跌进了一条名为爱情的河流里，河水流动着，情人坡下，满是星星的湖中，两条鱼儿在河水中忘记了时间，在星星的缝隙中嬉戏。

卫婕翻了个身，从床上跌下来，我这才从回忆中醒来，还好是地毯，很软，所以她还没有醒，我想把她从地上抱回床上，却发现有些吃力，她修长的身体还是那么美丽，让任何一个男人都无法释怀，她睡得很香甜，表情中还带着一丝甜味，又让我想到苏琳每每对我浅浅地天真地笑。

我给卫婕盖好被子，怕她再出什么问题，干脆就坐在她面前的地上，我累了，酒精的力量终于摧毁了清醒的意志，然而却毁不掉苏琳挥之不去的影子，一夜之间，除了苏琳的

30

影子，没有其他故事。

我醒来的时候，发现自己倒在地毯上，空调吹得我打了个喷嚏。我醒过神来，才发现卫婕已经走了。我去卫生间洗漱整理了一下，下楼问前台小姐，前台说她很早就走了。

我一脸疲惫打的回到寝室，一进寝室才发现肖斯文和老大都在，他们俩很滋润地躺在床上吹着电扇，不知道在讨论点什么，我进门的时候，两人却忽然收住了表情。

肖斯文一脸严肃地称呼我道兄，然后嬉皮笑脸地问昨天晚上"双修"顺利否。我自然是一脸无辜，说昨天晚上什么也没发生。肖斯文就开始望着天花板大笑道："一个大男人半夜三更和女人一起出去，整夜不归，第二天黑着眼圈一副被吸干元气的样子。大家说那个男人会去干什么呢？"这么一说我自然是百口莫辩，老大却在一旁帮腔了，说年轻人怎么现在都这么不老实，学学人家肖斯文多好，敢作敢当像个杰出青年，我这下明白了原来老大到现在还不去上自习，一定是昨天晚上受了肖斯文的洗脑，于是恨透了那个要报我一箭之仇的肖斯文和这个头脑迂腐的老大。

老大的大名叫赵大林，比我要大上三岁多，事实上刚来学校的时候他跟我们一样憧憬着爱情，只是他过于憨厚的个性和过于直白的表达总让他铩羽而归。大一上学期，他在三个月内进行了三次表白，但很不幸，这些女生在表白过后，长则半月，短则一周，都飞快地找到了男朋友，而老大则依然形影相吊，独自悲伤。在老大亲眼看到自己成全的第四个幸运的男生之后，带着无比的悲痛，他跌跌撞撞搬了一箱罐装啤酒回寝室，四兄弟大醉一场。在三位小弟循循教导之后，老大决定彻底弃暗投明，以保研的光辉大道作为大学四年唯一目标，只谈学问，不谈风月，文明精神，野蛮体魄，业余时间锻炼肌肉。从此以后老大又开始了当年高中时代三点一线的生活，而且居然乐在其中。

"你不是不谈风月吗？"我诘问老大道，老大立刻以小见大，由浅入深，从一夜情，讲到了古典道德体系的回归又谈到了马克斯·韦伯的《新教伦理与资本主义精神》，扯得人一头雾水，讲到最后，他还引用了一句黑格尔的原话："爱情要达到完美境界，就必须联系到全部意识，联系到全部见解和旨趣的高贵性。"

这句话我印象挺深刻，但是拗了半天也没能记下来。一年后，不记得是哪一次，我和肖斯文在吉庆街喝酒的时候，在乐器的喧嚣中，我问肖斯文，上次老大在寝室教训我，最后引的那句黑格尔怎么说来着。肖斯文就完美地解释那句话的意思说，这个女人呢，就是说要绞尽脑汁、用尽所有的方法，才能得到她的爱，如果一不小心，没能留个神，她人就飞了。

我开始有些受不了老大那套孔乙己式的枯燥说辞，还没等他把下一句接上，就朝肖斯文和老大丢下一句：爱信不信，说假的你们全信，说真的你们一句都不信，真不知道是什么世道。

肖斯文见我有些生气，急忙从床上丢过来一枝"黄鹤楼"：喂，这不跟你开玩笑的吗，好不容易今天说服老大不去上自习，好歹多给点乐子，陪着说说话啦。我一副无精打采地问要什么乐子？他说这还不简单，就兄弟几个，把昨天晚上干了点什么讲给我们兄弟听听。

其实也没什么好隐瞒的，只是不大好说出卫婕的名字，

就用一个原来认识的女生代替了她的名字，其他的我一五一十地讲出来了。刚讲完肖斯文就笑我不厚道，我说怎么不厚道了，肖斯文就开始说了：朕好歹阅女无数，再看看爱卿这德这能，实在想不出应该是哪个女生。

既然经过都说了，说说名字也无妨。老大也在一旁撺和着，说好不容易今天没去自习，多少透露一下，也不是外人。我又只得一五一十地说是卫婕。

当两人听到这个名字时同时震惊了，老大显得很是羡慕，连夸我有长进，有空学习两招；肖斯文则在一边抽了一枝烟，还是称我道兄，然后语重心长地问我到底是不是喜欢上她了，我说我要等苏琳回来呢。然后肖斯文就释怀道，这样的女人是不能碰的。

"这样的女人是魔鬼。"肖斯文望着天花板吐了个烟圈道。

7 燃烧在心中的苹果，闪出矢车菊的光色

后来的几天，我开始觉得自己无所事事，这种感觉很奇怪，就好像本来有很多事可以做，也应该做，却不知道做什么好，于是索性就把所有的事情都放下来，我每天无时不刻不在想着怎么逃避那种所谓的郁闷，但是忧愁却像影子一样嗅着我的气味找到我。电脑没有了，每天用肖斯文的电脑上网找朋友发发牢骚，在学校的 BBS 和猫扑上溜达一圈，即使肖斯文不催我，我也在网上待不了一个小时，偶尔想打打 CS 发泄，却发现整栋楼走得只有王洋能陪我打 CS 了，他技术烂不说，而且嘴里还老是不干净，我怕打上几局自己真的会去隔壁揍他一顿，所以我断然不会找他去打 CS。网络游戏更是不会去玩了，只要想起是因为玩游戏才疏远了苏琳，无论多么阳光的心情都会在刹那间电闪雷鸣。所以总体来说，我是无事可做，但是一想起来事情还真不少，我必须准备开学最后几门课的考试，还应该回家好好跟爹妈聊聊，顺便也得去打打工补贴一下后面的生活，但是越想这些越头疼，所以索性什么都不想，每天一个人待在寝室里，哪里也不去，也什么都不想。

34

有一天肖斯文进来问我，这几天怎么一直不出寝室，我说出去干吗，寝室不是很好的吗。他说，你这就不对了，整天待在这里也不想谁也不怎么样，要么说明你有毛病，要么说明你真的有毛病。我说你这孽畜不是废话吗，我这几天不是在想后面要做什么吗？肖斯文就笑了，说道兄最近不要憋得太慌，春心大动的时候还是滋润一下的好。我说找谁好呢？肖斯文刚要说话，我的短信却来了，他也就住了口，等我去收短信了。

本来我会幻想着短信是苏琳发给我的问候，或者是卫婕发给我的，如果都不是就应该是天气预报了，但是实在想不到居然是徐琴，她问我最近怎么样了。我说还好，她很快回给我，说她过几天回武汉，到机场接她好不好。我说没问题，然后她又问起现在学校的事情，显得有些没完没了，肖斯文在一边看起来有些等不及了，撇了一句"禽兽"，打开电脑继续聊他的 QQ 去了。

徐琴除了教人自惭形秽的精致，并没给我留下太深的印象。想想大概还是因为当时念着苏琳的原因，而现在再想她时，印象只能局限在我穿的那件东啤的 T 恤，不禁有些尴尬。肖斯文却在一旁讪笑道：实在看不出啊，道兄竟有如此修为，过段时间朕的三千后宫都要无颜色啦。我无言以对，一个人趴着看书。

过了一会电话又响了，是卫婕打给我的，她没有提那天喝醉酒的事，只是要我出来走走。我正犹豫着但仔细一想，已经好多天没出寝室了，连吃饭都是老大和肖斯文给我带的，怕自己真的会憋坏，就同意了，她又问我去哪里逛，我说随便吧，这几天热，北门外的东湖，湖风很凉快的，现在傍晚，去吹吹风不错。她说，那好，就在北门等你。

　　其实选择北门并不是真的喜欢吹湖风，仅仅是因为就在我们寝室楼下，我计算了一下，她走过来的话，我正好洗个澡，换身衣服，抽枝烟，于是很满意地从床上下来。肖斯文又摇摇头哀叹自己老了，一代新人换旧人。

　　我反诘了他几句，按原计划换好了衣服抽完烟就下楼了。北门据说是莫大 N 景之一，因为出门就是东湖，即使再热的天气，湖风到了傍晚都可以把人吹得凉飕飕的，我远远地就看见卫婕站在大门口，一件绿色的小 T 恤，一条白色的丝质长裙，湖风吹过，好像青春的活力真的就在这一刻飞扬了起来。

　　我刚想给她打招呼她就向我招手，我问她今天怎么想到要找我出来散步，她说无聊呗，今天忽然想起你来了。我示意边走边说，然后说，我有什么好想的啊，烂人一个。她就没说什么了，而是换了个话题，问我最近在做什么。我说没做什么，天天在睡觉呢。我问她最近在做什么，她说还不是老样子，无聊死了。她的老样子是什么，我并不知道，也不好问。就继续跟她随便瞎扯一些东西，走着走着在一个临湖的水泥平台上，她取出几张面巾垫上，两个人坐下来，说实话我也不知道该找点什么跟她说，她则望着湖水，不知道在想些什么，一脸的忧郁。傍晚的阳光很快就沉了下去，月亮在今晚显得特别明亮，月光下的湖水，倒映着两张并不清晰的脸。

　　她忽然问我这夜色美不美，我说当然美啊，然后停顿了一下，把后面的话给咽下去了。她又问，你和女朋友是不是经常来这里。我说你怎么知道，她说，应该是这样啊，像你

这样的人我一眼就能看出是痴情种。我说这也没什么，我原来特别喜欢跟她在一起沿着湖散步，那时候大一，一直从公寓逛到放鸽台，又从放鸽台走回来，有一次走着走着走到了洪山广场，居然不知道怎么回来。她扑哧一声笑了，接着脸色又平静下来，说我们不如也从这里走到放鸽台吧。

我说等一下吧，这里的风不错，来来往往人又很少，又不会有人来打搅。她看着湖水笑了笑，要我坐近一点，我很服从地坐过去，她却忽然牵住我的一只手放在她腿上："那好，就陪我再看看月亮吧。"

我居然还真的陪她看月亮，心却放在了别处，我又想到了苏琳，但却已闻不到她的气味，所以只有把注意力集中在周围的一切，静静的粗糙的水泥平台，脚下是绿色的湖水，我几乎真的忘记了苏琳。

但是显然，这还是自己骗自己，直到 2003 年，我再次和卫婕坐在同一个地方，也是看着月亮，却彼此无言，回想着不同的时间，同一个地点，两个影子都在月影下同时变得缥缈，合成一张含泪的脸。

我听见身后有展开塑料布的声音，两个男生坐下来好像在说话。一个细声音说这两人真不相配，女生比男生还高，看背影也应该是一个美女，再看这男的，又矮又瘦，估计人也很猥琐，真没天理。接着粗声音就说了，这还不简单，我们把这对狗男女踹下去不就得了。细声音压着说，那这样，你踹女的，我踹男的，喊一二三。粗声也低声道：好主意，先等一下，等没有防备的时候我来发令。

我苦笑着看了一眼卫婕，卫婕早就盯着我这边了，我们还是走吧，她也苦笑着对我说。在莫大，这算不得一次奇遇，莫大经常出产这种畸形怪状的动物，我和卫婕快步离开了这个是非之地，后面传来一粗一细两个猥亵的笑声。

两人开始沿着东湖散步，东湖的水从水果湖那边就开始泛着腥味，咸咸的，像海风一样。她开始问我能不能告诉她为什么要跟女朋友分手。我说也没什么，大概是自己不争气吧，太喜欢玩游戏慢慢疏远了。她忽然间没说什么了，却依然把我的手搂得紧紧的，好像生怕我一抽手就要溜走一般。

放鸽台并不高，却足够看到整个东湖，李白的雕像巍然屹立于台上，准备放出一只振翅欲飞的老鹰去抓捕一只小小的鸽子。我从来都没有觉得这是一个适合恋爱的场所，这里似乎更适合一个人上来抒怀，但是现在的今天的我不能，我不知道该对卫婕说点什么，更确切地说跟她的确没什么好说的，这个时候的我更像一块什么都不愿想也不愿意说的石头。据说，古代某高僧讲经可以让顽石点头，但是显然卫婕不行，甚至苏琳也不行，这种彻底心灰意冷的时候，比万念俱灰站在高楼顶端的感觉更可怕，仿佛此刻已经死了，却依然要像一个游魂般在世界上飘荡，总是摆脱不了尘世的幻影。

她牵着我的手望着东湖，我则望着湖边一只可怜的无主小狗，默默无语。

"你是个好人，真的很好。"卫婕忽然对我说。

"我知道，所有人都这么说。"

"你做我朋友好不好。"她忽然看着我说。

我完全不理解，甚至以为是她随便说说的，但是看着她的眼神，我却忽然静止住了，她的眼睛显得很认真，认真得让人害怕。

"为什么?"我喃喃答道,好像是在对自己说。

　　我记得去卫婕那个小小的房间是在 2002 年的 8 月 20 日,后来我才知道是卫婕 22 岁的生日。半年后,我和卫婕专门为谁先提出交往的问题吵过很多次,吵得很凶,好像谁先说两个人要在一起就该天打雷劈一样,我们为这个问题狠狠吵了一架。我直截了当地重重摔下一句,我受够了,其实从头到尾我对你根本没感觉!然后摔门而出,她狠狠地拽着我,不让我出去,我一屁股坐在床上,点起一枝烟,用一种类似仇恨的眼神看着她,像一个被抢走了玩具的小孩,她却望着我哭,然后把厨房里不多的餐具全摔得粉碎,我连忙去制止她,她却一直闹,我也气了,陪着她一起摔东西,把房间里能摔碎的全部摔碎,直到什么都摔不了了,然后两人坐在地上,看着满屋的狼藉,看着电脑的显示屏歪在地上冒出的噗噗火花,我一定能够回忆起第一次到这间小屋的情景。

　　但是如果一定要我回忆,我实在记不起那天晚上我答应了卫婕没有。如果答应,我就是以爱人的身份第一次光临了她的世界,如果没有答应,那我只是去拜访一个朋友的房间而已。她的房间很雅致,却也很随意,单间,大概有 20 个平方左右,还带着一间厨房和一个很小的卫生间。墙上挂着两幅画,一幅是印刷的《星空》,一幅是铅笔画的她的画像。墙角放着一个提琴盒子,但是却蒙了厚厚一层灰,书架上除了教材,还摆了几本李碧华和亦舒的书,一张足有一米五宽的床上,枕头和被褥叠得整整齐齐,还靠着一个硕大的毛毛熊。一台电脑,一张书桌,桌前的窗台上,还摆着一盆仙人球。

　　她要我坐下,去厨房给我泡一杯茶。我赞美了一下房间的整洁，她只是笑了笑，然后坐下来又陪我扯了一些学校的事。她忽然问我文学社怎么样了，我淡淡地说很久没去了，学期末就把社长给辞了，她哦了一声，带着些惋惜，说有空还想演那个角色，我说这有什么好演的，女主角很可惜的，一个优柔寡断的男人，女人不值得为他守候的。她却低下了头，显得心事重重。她停顿了一会，说不要谈这些了，好沉重。然后我问墙上的铅笔画是谁画的，她淡淡地说是在街边找一个画匠画的。我说画得不错，其实仔细看这幅画就很容易发现画得比例有点失调，透视也有问题，我想这一定是个很失败的画匠。

她开始给我讲她的故事，讲很无头无尾，我也试图很认真地听，但是真的没听出什么来，于是我对她说，一个人的过去没这么重要，忘记了就好。她又问我真的不在乎一个人的过去吗。我说那是当然，就好像我现在和谁谁分了，就没必要再去想，因为越想越痛，她又开始沉默，她的沉默总是很奇怪，好像总有很多话要说，却一直不说出来。

她接着问我，试过和女孩子接吻没有，我要她不要说下去了，因为我害怕回忆原来和苏琳在一起的日子。她却要我闭上眼睛。我于是真的闭上眼睛了。黑暗中我感觉到她在吻我，这种感觉让我又一次想到了苏琳，苏琳总喜欢在这种时候偷偷地吻我，我也喜欢在她不经意间偷偷给她一个吻，有时在起风的东湖边，有时在阳光下的情人坡，有时在寝室楼下。这种感觉很奇怪，好像我根本没有感觉到卫婕冰凉的嘴唇和柔软的舌头，而只能感到苏琳柔软的身体，充满了与她在一起的幻觉。这种幻觉汇聚起来仿佛一段充满情节的电影，从大一那次北京之行，再到一年后的第二次心碎之旅，

接着就是卫婕的影子在我眼前幻化，我猛然从回忆中醒来，推开卫婕。

　　她问我怎么了，我说有点不舒服，先回去了，也没记得说声再见。回到寝室的时候肖斯文和老大在联机对挑 CS，老大问我做什么去了，肖斯文则在一旁偷笑，然后说道兄现在倒好，旧的不去新的不来，然后说下个星期一他老爸过来，到时候好好打几天牙祭，都不要客气。老大一脸羡慕刚想问去哪里吃，还没说到一半就被肖斯文在 CS 上爆了头，连连骂娘。肖斯文则在一旁得意，要我上来替老大搓两盘，我一上场没几把就把肖斯文打得不能露头，肖斯文一下没了信心，干脆把电脑一关，继续跟我们一起撇起来。问我是不是又跟卫婕幽会去了，我知道瞒不过，就说两个人出去在东湖边逛了逛，肖斯文眯缝着眼睛听完，就开始给我分析，说这是个很奇怪的问题啊，要说道兄要才虽然有才，但是一身东啤 T 恤一看就知道是穷人家，然后指指晾起来的运动短裤，全身惟一的名牌还是朕御赐的龙短裤。我急忙说孽畜，那是你打赌输给我的。肖斯文则在一旁不紧不慢地说，好好好，是朕输给爱卿的，我的意思是你是那种完全无油水可捞的男生，而卫婕呢，这样的女生，为什么还看不到男朋友？你们应该知道囤积居奇的道理吧，这样她的身价其实就在往上抬，而她要的是什么呢？她身边追她的男生合起来估计可以演水浒传了，你说她会要什么？难道她这三年在大学里好不容易攒起来的资本就会准备丢到你这样一个穷小子身上吗？老大急忙否决，话不是这么说的，如果人人都像你这么理性，算来算去还要不要人活啊，我认为应该是看中我们老四这个人呢，人品不错，你想啊，人一漂亮了，周围的男生虽

41

然多，但是大部分都是那种有钱没道德的家伙，你知道这人
啊，一有钱就缺德，就比方你肖斯文吧，跟我们老四一样
穷，肯定老老实实的。所以呢，周围的那群男生缺德，这下
就看上我们老四的人品了。然后老大拍拍我的肩膀，鼓励我
再接再厉做个君子。校篮球队的老大一米九的身高九十公斤
的体重，一只手就快跟一面扇子差不多大了，拍得我全身一
颤，不知道是他用力大还是我自己在那一瞬间打了一个
冷战。

　　肖斯文很不服气，连连否认自己人品不好，然后哀叹了
一句，虽然我是个禽兽，但是好歹也是个够哥们的禽兽啊，
老大这么一说他心都凉了。老大现在才发现话说重了，连连
说只是个比喻，其实肖斯文还是很够哥们的，于是就劝肖斯
文，也该好好找个女孩子了，实在不行以后还是要结婚的。
肖斯文则是一脸沉思，连连摆手，一副欲说还休的架势，过了
一会，叹了一句："找个真正喜欢的人，其实谁又不想呢？"

　　三个人谈着谈着，发现已经夜深了，老大先洗完上床，
又抱着一本厚厚的哈维尔文集开始看起来，不一会儿就传来
一串均匀的鼾声。肖斯文小声喊我，试探我睡着了没有，我
望着天花板嗯了一声示意没睡着，肖斯文似乎有什么想说，
却又憋了回去。

　　"想说什么就说呗。"我对肖斯文说。"也没什么，"肖斯
文说，"只是有些羡慕你。"他又叹了一口气，说："只是想
提醒你想好一些问题，你们在一起好不好。"我说我并没有
想和她在一起。

　　肖斯文那边传来了他一声苦笑："兄弟，由不得你了。"

　　第二天中午，卫婕又打电话给我，她一如以前，没有提

别的什么事情，只说约我出来散步，我不好拒绝，就去了，她请我吃饭，什么也没说。接下来的几天，她天天给我打电话，起初只是一起去吃饭，接着又去逛街，我好几次都想拒绝，但是话到嘴边却收了回去，我每天都和她黏在一起，很晚才回寝室，俨然一对情侣，每次回到寝室肖斯文依旧很神秘地对我笑笑，也没说别的事情，最多只是拉我打打 CS，再也不像以前那样谈卫婕，甚至不谈任何女人。我有几次想问问他的建议，他却总是打着哈哈把话题往一边扯，好像换了一个人。而老大，则只是在一边说说小伙子有前途之类毫无建设性的语言，那段时间我越来越觉得自己卷进了一个旋涡中，旋涡里充满了卫婕和苏琳的影子，我无能为力地在旋涡中看着她们的影子越来越模糊，渐渐合成了一个，而我，则在这种模糊中被卷进旋涡的底端。这种日子过得让人越发迷幻，最后竟然如行尸走肉一般，每天就在寝室等卫婕打电话给我，好像这手机的铃声是一只靴子落地的声音，时间长了反而成了一种期盼。

　　我和卫婕在街边的小吃店吃臭豆腐的时候，两人聊得正开心，打打闹闹着，我的电话却响了，我很扫兴地接了电话才发现是肖斯文打来的，要我去白玫瑰吃饭，他很快就发现了我的为难，于是就要我带着卫婕一起去，顺便还补充说不要紧，他老爸很开明的。

　　打车来到白玫瑰的时候，我们看到了肖斯文的老爸。就像前面所说的那样，肖斯文敢不把钱放在眼里是有理由的，事实上他老爸也是这个学校毕业的，但是很可惜那个时候的名校毕业生并不是一块香饽饽，"文革"的时候，他老爸因为是狗崽子，毕业后到了省里一个偏远的小乡镇里做小学老师，在小镇里，他才华横溢的老爸打败了众多竞争的庄稼汉娶了当时能找到的最漂亮的村姑，于是就这样有了肖斯文。因为这个，后来他老爸没有回城，但是也算因祸得福，爬到了那个贫困县的父母官，他老爸上次来的时候坐着县里惟一的一辆奥迪 A6，还配了一个挺帅的司机，一副农民企业家的派头。他命令司机在外面等着，就和我们寝室的四个兄弟到了寝室跟我们这群人胡吹海侃起当年在这个学校的往事来，说得极度煽情，我们也没有了开始那样的拘谨，一个个也学着肖斯文的老爸指点江山，激扬文字，时而讲到社会保障体系不健全，时而讲到经济体制改革，又讲到了全球化，一个个果然是书生意气。肖斯文的老爸也不例外，谈到国内国际形势也和我们一样激情飞扬，仿佛年轻了几十岁，一点也不像刚下车的那个农民企业家，这倒并不让人惊讶，最后令我佩服的是谈话完毕后，肖斯文的老爸忽然深吸了一口烟，语重心长地说，你们是学新闻的，有思想是好的，不过，思想无禁区，宣传有纪律，千万记得不要犯错误啊。

这次肖斯文的老爸依旧是老样子，肖斯文依旧在老爸面前一副乖乖儿的样子，与平时在寝室时大相径庭，席间肖斯文的老爸没有了上次来学校时那副指点江山的气概，在一边吃饭的司机也换了人。他问了一下大家现在的情况后点了点头，然后看了看我，又看了看卫婕，自己笑了，说我们两人显得特别相配，郎才女貌，我不好意思地挠了挠脑袋，连说不敢，女貌是真，郎才是假。肖斯文的老爸开怀一笑，说肖斯文如果能找到这么漂亮的女朋友，他就放心了。

后来，我和肖斯文二人偶尔出现在夜市喝酒的时候，他还会经常提起那次我们吃饭时他老爸说的话，然后开始哀叹

自己的报应，我说报应什么啊，回想过去我不也是禽兽吗。肖斯文则不同意，他说禽兽分为两种，一种是不自觉做了禽兽，一种是自己主动去做禽兽，全世界大多数男人多属于前者，所以不遭报应，而后者实在太少了，所以应该遭天谴，我说嫖妓算什么，他说什么都不算，你情我愿，我这么多精子拿出去捐了也是不少钱，怎么也不用自己倒贴钱啊。我连连称是，然后也开始哀叹，所以人生是很公平的，享受了多少，就要付出多少，谁也逃不掉的。

那天晚上虽然肖斯文的老爸在，但是寝室的几个兄弟也没有拘谨，正如肖斯文的老爸在我们寝室与我们高谈阔论一样，到最后还是肖斯文的老爸出来总结发言，说年轻人就是要有激情，然后示意肖斯文和我一起看看倒在桌上的老大，不过激情过了，就站不住了。肖斯文是他老爸在，所以喝得并不多，我则是酒量过得去，多少能撑个片刻。肖斯文的老爸怜悯地看了一眼老大，要司机把老大扛着，叫肖斯文去楼下订了个房间，说这样醉了坐车吹风很危险。然后又问我如何，我说不要紧，自己能回寝室，他又叫司机把我们送到寝室楼下去，我和卫婕自然也是盛情难却，跟司机一起下了楼。

司机的技术不错，黑色的奥迪飞快地穿梭在灯火辉煌的城市间，很快就到了寝室。司机问我还有什么事，我说没有了你走吧。司机飞也似地把车开走了，走之前善意提醒说现在已经12点多了。

我到寝室楼下才发现门已经关了，就开始敲门，敲了几下看门的老大爷出来告诉我，他今天才开始执行纪律，现在门已经关了，再怎么叫他也不开，然后扬长而去。我无奈，对卫婕说我要去网吧通宵，顺便送你一程吧。她点点头牵住我的手，一起从寝室长长的、长满青苔的台阶上走下来。

她忽然又要我吻她，我说不要了，现在一口酒气不好，她却开始撒起娇来，当时的我并没有想很多，一半是因为白酒的后劲开始起了作用，一半也是因为身在局中，如果现在回忆起来，跟她黏在一起也不过一个星期而已，却会这样自然地接受了这一切。

我陪她走到学校门口，她拦了辆的士，我惺忪着眼刚想跟她说再见，却被她推上了车，然后跟司机说去龙虾湾。

她一把钻进我怀里，很幸福的样子，说怕我晚上醉了，要我去她那里，想好好照顾我。

我不想在车上争着跟她说要下车，司机一定会把我们两人当怪物的。于是很顺从地搂着她，一直到车在那串被高矮不一的建筑夹着的小巷中停下来。

我头重脚轻地摸索着上楼，到了门口才发现自己原来一直被卫婕搀扶着，她比我高一点，有时候甚至比我力气大，这几天跟卫婕走在一起，我一想到这个问题就害怕，到底我是什么，我还是不是一个男人？这几天和她坐在一起的时候，总觉得那两个声音在耳边响起，让我总是想回头看看是不是有两个想把我们一起踢下水的怪物，我不觉得我配不上谁，但是却总被一种比羞怯更可怕的东西包绕着，几乎让我无法呼吸。

她打开门，让我躺在床上，我说不用了，过一会就会好的，躺在床上很容易头晕。她端来一盆热水，要给我擦脸，我却夺过毛巾囫囵洗了一把，她问我到底怎么样，我说不要紧，陪我说说话，让我躺下好好睡一觉。她问说什么，我说随便说吧。她就问我喜不喜欢原来的女朋友，我说太喜欢

了，换个话题吧，说着伤心。她又问为什么上次 Kiss 的时候要走，我说我也不知道。她说不如我扶你去洗个热水澡吧，刚才吹了风很容易伤身体的。我说好，但是不要你扶了。我歪斜着进了厕所，问她用哪条毛巾好，她取下一条大一些的毛巾说，随便用吧。

热水让我清醒了一半，在学校，这样的天气是没有这种待遇的，水柔软地流遍全身，像一只温柔的手拭净了让我无法摆脱的来自灵魂的疼痛。我穿好衣服出来，卫婕问我好些了没有，虽然还是有些头重脚轻，我还是说好多了，她说她要洗个澡，电脑现在打开了，放点喜欢听的歌吧。

我看到有个森山直太郎的文件夹，问她是不是很喜欢听，她说一般，你就放他的《sakura》吧，挺好听的。我也很喜欢听《sakura》。sakura 是日语的音译，就是樱花的意思，樱花给我太多的感想，高中时代，向往这个学校的樱花，向往樱花树下雪白华丽的爱情，事实上我一次樱花都没有错过，甚至记得每次樱花开放时和苏琳散步的日子。我躺在床上，粉红的床单把天花板映出隐约的红，似乎让我又回到那些樱花盛开的日子。

一曲放完，我从回忆中醒来，看见卫婕已经洗完了，一件白色的睡衣很薄，让人热血沸腾。她问我歌好听吗，我说不错，我是因为樱花才来这个学校的，她惋惜地说她也是，可惜没有一个人陪她看樱花。我说不要紧的，来年春天我陪你啊。她忽然好像显得非常感动，问我是不是真的，我说当然。

如果回忆起来，我会把这个承诺归结为当时酒醉眼晕。如果再回忆起来，不能不说我心中也不完全只有苏琳的影子，于是我在两年后跟肖斯文不止一次发牢骚说我自己是禽兽，对不起苏琳，他却总是把他原来的禽兽二元论搬出来反复宣讲，说本质上男人都是禽兽，你这样无意识的禽兽一定不会受到天谴的。

卫婕见我躺着，坐到我身边问我感觉怎样，我说还好，只是回忆一点东西，她又问我是不是想原来的女朋友了，我说是，她又问我为什么不试图忘掉，我说忘不了。她问我吻过原来的女朋友没有，我说有，她的吻很甜。我似乎还在回忆，并在这种回忆中慢慢地昏厥，进入到一种无意识中，她又问我有没有和她来过，我说没有。她说你跟女孩子试过这种感觉吗？我已经闭上了眼睛，如果我醒着，一定会羞红脸，但是我醉了，我说没有，我舍不得。

我感觉她开始吻我，我感到骨头里充满了泡沫，在泡沫中我似乎在一条河里游泳，河水温暖着，白色的，和煦的光洒满了整个世界。我慢慢地在遗忘，好像我从未出生，只是一直在生命的河水中沐浴，沐浴着这样一个关于人生的幻想。

早晨醒来，我发现阳光像昨天晚上的梦里一样，洒满了整间屋子，我的衣服整齐地叠放在一边，我才发现自己一丝不挂，旁边是卫婕，她还没有醒，洁白的胴体在我旁边，像一座罗丹的艺术品。我生怕惊动她，想坐起来穿上衣服，她却醒了，她见我也醒了，显得很高兴，我明知故问地问她昨天晚上怎么了。

"没什么啊"，她从后面抱住我，抱得紧紧的，要我不要离开她。我说好，我不走，我陪你。她开心地坐到我面前说："从今天开始我就是你的啦。"然后又指着我的鼻子俏皮地说："你也是我的。"

8　夜的深处有故乡，深处的深处还有故乡

　　我回到寝室的时候已经是傍晚了，寝室里一个人也没有，夕阳照着我空空的床位，我开始有些怀念这个地方了，但是我却不能在这里久留，因为我已经答应了卫婕，从此我们要在一起。我看着寝室里的东西，其实属于我的东西并不多，两个皮箱，一套被褥棉絮，实在没有其他东西了，电脑卖掉了，甚至连 CD 也在去年被偷了。我草草地收拾好东西打成包，给寝室的兄弟们留了张字条，简单地说明我搬出去住了，有事情打我电话。

　　我于是就这样和卫婕住在一起了，她开始显示出她贤惠的一面，完全不像一个在人前冷若冰霜的校花，我开始觉得很奇怪，这种感觉就好像是拿破仑年轻时在禁闭室里翻着罗马法，却转眼之间在大庭广众之下夺过了教皇手中的皇冠。

　　年轻而美丽的卫婕在那段时间里，总会每天早早起床，像一个结婚多年的主妇一样为我买来早饭，然后等我起床，我起床后她会等我，起初她很笨拙地要承担起做菜的任务，却不小心把手切了一条长长的口子，那一次我夺过她手里的菜刀，给她包扎起来，生怕留下伤口，但是她的手上，从此以后还是多了条细细的伤口。从此以后我拿起菜刀，拾起在家时父母出去打麻将时自己练就的手艺，炒菜是我在这个小小的房间里惟一要进行的劳动，也仅此而已，她甚至连洗碗的活计也抢着做，说我身体不好，不要劳累，我不明白洗碗和劳累有什么关系，我只知道我在这几天终于开始接受这种虚妄的幸福——虚妄到仅仅事隔一年，面对空空的房子，我就什么也不能想起。留在记忆里的，只有幸福本身。

那时，她总会在把房子收拾得干干净净后去"上班"，而我则无所事事地在她的机器上聊天，临走时她给我说再见我也只是随口应应而已。

我好长时间没上网了，我有些害怕那种感觉。无法想像以前整夜练级，在虚拟世界里横行无忌，而现在却被一种类似梦幻的满足感在心中蔓延然后改变现实。无聊的我，躺在床上，继续望着天花板发呆。门外的天空白云漫卷，我在室内却只看见白白的一片石灰。忽然想几天没回寝室了，现在正是傍晚，估计老大应该在寝室，就打电话回寝室，老大接到我的电话显得有些兴奋，然后我问家里打电话来没有，他说有，正想跟我说这事情，说我妈好像有点急，希望我能回去一趟，我问说了具体事情没有，他说没有。

平时家里给我打电话多是查一查我的岗看我在不在，而我则多少有点死猪不怕开水烫的感觉，时间长了老妈大概也忘记了查岗的目的，更多的时候只是问一下什么时候放假，有没有加衣服之类的唠叨。我知道妈妈老了，当年的麻友也散得差不多了，有的跟着儿子去了其他大城市，或者去了乡

下，厂里像老妈这个年龄的退的退，走的走。老妈也刚退下来，我要老妈有空出去走走，老妈却说不放心我，如果不是年轻时就害怕了武汉的天气，真想搬到武汉陪我。每到这个时候我就说算了，我一直不能忘记老妈在快高考的时候给我陪读的日子，有一次她边做饭边念叨着要我好点考，考个好点的大学找个漂亮的女朋友，过几年就可以抱孙子啦。我很奇怪地问老妈说，这么希望我找女朋友啊，老妈却一脸不高兴叫我赶快去复习。考上大学以后问老妈，老妈却说那是激励我，看儿子这么乖，不像在大学里不认真学习的那种。我知道这是老妈的搪塞，老爸老妈结婚晚，老妈看着同事的儿女都成家立业了，而只有我还在大学里穷混，多少肯定会有些失落。

我狐疑着给家里打了个电话，接电话的是老妈，我说那天我到同学那里去了，没有接到电话，问打给我有什么事。老妈要我赶快回家，说小唐死了，我一惊，电话差点掉到地上，向后倒了个趔趄。连忙问怎么回事，我妈说她也不清楚，只是听说被人杀了，死得很惨，身上中了十多刀，一身是血撑着到了医院，却没人敢上去扶他，硬生生地就在医院门口咽了气。

我跟老妈说我赶快回来，同时叫她替我订一个花圈。我挂掉了电话，就开始收拾行李，我不想多等，尽管我即使明天出发也不会见不到唐波遗体最后一面，但是我不想错过为好兄弟守灵的时间。

我打开皮箱想找几件体面衣服带回去，这时卫婕开门进来，我问她怎么这么快就回来了，她说老板放她的假，这一个星期都没事情，又问我收拾东西干什么，我说我得回去，我的好兄弟死了。她说她要陪我，我说不用了，我几天就回来，她却牵着我的手像个小女生一样地撒娇，我拗不过她，只好答应，但是要求只能对我父母说是普通朋友，她说那是当然，你是乖孩子，我怎么会在你父母面前败坏你的形象呢。

傅家坡回县城的车已经是最后一班了，车里的人很少，我和卫婕坐在最后一排，她忽然问我，喜不喜欢和她在一起，我说当然啊，你每天这样照顾我，如果做老婆多好啊。她忽然很幸福地倒在我怀里，要我抱紧她，问如果真的毕业后我们结婚多好。这句话就像我老妈在快高考时无意的感叹一样让我有些震惊，我问她结婚有什么好的，现在不是很好么？她开始说，原来跟我说过，她一直觉得好累，真想找个安全港湾。我说既然受过伤就忘记算了，现在我们在一起不是很好么。

两年后的一天，我独自坐上这辆夜行的大巴驶向家乡那座江边的小城，车里居然只有我和司机两个人，连售票员都没有。巨大的车体在高速公路上穿破冰冷得似乎无边无际的黑暗，我还会想起那个和卫婕一起回家的日子。回忆却带着几分干涩，我开始有些懊悔当初曾经跟她说过这些逢场作戏的谎言，以至于欺骗了一个真正爱我的人，也欺骗了我自己。

妈说，人过了五十，一天天见老。我却坚信，在我毕业那年，他们一定为了我工作的事平添了不少白发。2002年的老爸老妈还不像2004年那么苍老，当时他们见到这个美丽的不速之客多少有些惊讶，接着却显得多了几分欢喜。我解释说是普通朋友，老妈随口应和说这样也好，放假不回去在

这里多住几天，我们汪平从小就有女生缘，对人可善良啦。老爸则像个小孩子一样打开冰箱摆出一副大厨的架势，我和卫婕看到这阵势不禁相视而笑，居然忘记是回来奔丧的。

卫婕显得很懂事，一会要帮老爸下厨，被我制止住了，她朝我做了个鬼脸，就去拉着老妈聊天了。卫婕的嘴巴特别甜，一口一个伯母说得老妈笑得像朵花一样，我则在厨房里给老爸打下手，爷俩算是配合良好，很快就搞定了一桌丰盛的晚餐。

吃着饭老妈开始感叹，其实小唐这孩子从小就聪明，也很善良的，小时候你受欺负帮过你不少忙，可惜就是家里一直不管，走上了歪路。老爸则在一旁劝老妈不要说了，别把汪平的牛脾气说出来了。我连忙说不要紧，我好久没回来了，不会惹事的，爹妈放心好了。老妈笑了笑说其实我家小平一直很乖的，然后给卫婕讲我小时候的笑话，说我小时候特别喜欢扎小辫子穿女孩子衣服到处跑，说自己是女孩子。还说我小时候特别可爱，老喜欢要小姐姐抱。卫婕笑得差点喷饭，说那小平不是蜡笔小新了吗？老妈大概是没看过蜡笔小新，笑了一下，就说现在孩子们说的什么我们都不清楚了。卫婕依然一口一个伯父伯母，一桌人融洽得真的像一家人一样。

吃完饭我才想到正事没办，说要去给唐波守灵，老爸说好，老妈却不同意，说休息一下明天去不迟，我开始拗了，老妈拗不过我，只得放行，还是叮嘱我路上小心，在一边的卫婕却又开始活动开了，一口一个伯父伯母，说要跟我一起去。老爸说这怎么行呢，女孩子家，这多不好啊。老妈却在一旁表示赞成，现在的年轻人都这样嘛，什么时候对我们家小平这么不放心了。老爸看着老妈笑了笑，噜苏了一声："现在的孩子啊"，然后就要我们路上小心。继续拉着老妈看电视。

　　一下楼，我刚要责怪卫婕的表现不像"普通同学"，她却看着我哈哈大笑，说你原来小时候就这么下流，我以后就叫你小新好了，我说你敢，两人疯闹了一路，快到医院才停下来。

　　守灵的都是从小一起玩到大的几个弟兄，他们带我走到小唐的灵前，拜了三拜。然后带我去看遗体，此时的他面色很安详，眼睛微微睁着，我有点难受，说坐车刚回来有点头疼，跟卫婕出去一会。

　　我们走到灵堂外住院部下的一片小树林中坐下来，卫婕问我怎么了，我说没怎么，只是觉得有些害怕，她笑我说我都不怕你还怕什么啊。我说不是怕死人，是害怕如果我当初没考上大学，想必会跟他们一样。卫婕笑我多心了，有这么好的家人，怎么也不会走上这条路的。我说是啊，如果他们家里也是这样多好啊。我又问她的家人现在怎么样，她却忽然沉默，又一次贴着我，说不要谈这些。然后说现在想要我安慰她，我知道她的意思，说这里周围来来往往都有人，还是算了吧，她却缠着我说要，我也受不了这个挑逗，两个人又缠在了一起。

　　静静的夜里，我和卫婕在甜蜜中缠绵着，灵堂里传来一阵阵粗野的吆喝，只有我的兄弟小唐静静地躺在哪里，安安静静的，就像这个午夜的小城一样安然睡去。

　　第二天回家补了一个瞌睡，我睡在地上，把那张属于我的足有四个平方大的床让给卫婕，大概是最近发生了太多事

情，我硬生生地做了一个梦，所以说是硬生生，是因为梦得实在太真实了，我梦见一身清爽的杨风带着苏琳在樱花树下散步，我想上前打个招呼，却被卫婕硬生生地拽回来，她一脸幽怨看着我，让我害怕。她开始疯狂地亲吻我，我想挣扎，却看见两人谈笑着离我远去。我啊呀一声从梦中惊醒，却看见卫婕睡得很甜，嘴角还有一丝甜蜜的微笑，我松了口气，已经没有睡意了，推门出去，却看见爹妈都坐在饭厅里谈笑，我说怎么了，他们说没什么，等我们起床而已。我说让卫婕多睡会吧，我去灵堂帮帮忙。他们说好，又叮嘱了几句无关紧要的话。

我到医院的时候，那几个哥们商量说既然人到齐了就可以准备出殡了，我想过去跟着一起抬棺材，那几个家伙却说一个大学生抬得起个什么，要我到后面帮忙。我只能挂着黑纱跟在后面走，这条路仿佛走了一百年，送葬的一辆农用车在凹凸不平的土路上颠簸着，中途还修了一次车，好不容易才到了火葬场。

看着小唐的躯体化作一缕缕青烟，我开始有了一种莫名的惆怅，与爱情无关，也与生命无关，一个不错的朋友就这样走了，总有一天，我也会在这里化成青烟，那时候，我这么多的朋友，会有谁来凭吊？卫婕会吗？在苏琳之后，我便成了一个悲观的人，对生活，对爱情，都不敢再抱信心，也许多年之后，如果我的父母还健在而我不幸死掉的话，能来送我的，也只有他们了。

回家的时候小唐的父母和那几个兄弟要留我吃饭，我说不用了，我女朋友还在家等我吃饭呢。我回家以后看见父母已经把中午饭端上了桌子，连声称赞说这姑娘真懂事，帮着做菜，我说原来我不也是这样啊，然后老爸就拉开了话匣子，说当初老妈生我的时候沾不得冷水，也近不得油烟，所以那时候所有的锅碗瓢盆全是他一个人伺候，想不到时间一长这个传统一直保持下来了，然后老爸又开始夸耀自己的厨艺，末了还说要我把这个光荣传统保持下去，并且还来了一句"不会做饭的男人不是好男人"。卫婕扑哧一声笑了。

吃完饭我说我要回武汉了，老爸老妈极力挽留，说现在天气热就在家里吹几天空调避暑好了，我说不用了，回学校还有事情，卫婕也连声附和，爹妈看挽留不住，又唠叨了一些要注意身体之类的东西。于是下午，我和卫婕登上了回武汉的大巴，这个暑假，我在家里待了不足 24 小时。

回到我和她的小屋以后，我们又过回了原来那种生活。我不仅彻底接受了这种幸福，而且也渐渐开始迷恋上这种幸福，以至于害怕迈出这个房间，因为一出门，那种幸福的感觉就会渐渐觉得淡去，好像灵魂渐渐被抽离了肉体一样。在这种感觉中，我对时间的概念也开始越来越模糊，因为每天的生活都是如此的重复，我已经没有必要去记忆是星期几，几月几日。不知不觉，这种生活已经过去了一个月，而我却浑然不知。

9　还因为能够微笑，用微笑骗人

　　肖斯文忽然打电话过来，说怎么没回寝室了，我说我搬到外面了，他嘿嘿笑了一声，说苏琳好像回来了，我说怎么这么快，他说还快呢，现在都快开学了，我这才想起来真的快开学了，开学还有几门考试，而且成绩出来，肯定是有几门要重修的，想起这些就头疼，我说考试你准备怎么办，肖斯文说不要紧，这几门考前看一晚上书就可以了，反正重点早就画了，背下来也很快。我这才想起来自己平时不上课肯定没讲义，所以得回学校一趟。讲义自然是要找老大拿，不过老大白天在自习室，晚上才回寝室，所以我计划着晚上回一趟寝室，然后肖斯文依旧不忘记说给朕介绍美女之类的鬼话，我自然又骂了他一通孽畜然后挂掉电话。

　　我跟卫婕说回去拿讲义，晚上可能就在寝室睡了，她说好，然后叮嘱说能回来尽量早点回来。我又是在傍晚的时候出去，出去时阳光已经很淡，那种失落感从我离开小屋的那一刻就没有停止过，校园里的人已经开始多起来，偶尔还有没入校的新生用一种半敬慕半新奇的眼神看着学校里的一切。

　　忽然迎面走过来一个女生给我招手，一身鲜绿色的 T 恤

57

格外惹眼，但是没戴眼镜，实在看不清楚，走近了才发现是张艳，我问她怎么这么早来学校啊，然后主动上去帮她提了两个包，她问我苏琳姐呢？我说甭提了，她很关切地问是不是闹别扭了，我去给苏琳姐说说。我说不用了，不要跟苏琳提起我。她看起来有些失望，但是很快又很开心地笑了，说既然大帅哥也有失恋的一天，就多提点东西发泄一下吧。然后把背后的书包挂在我脖子上，让我很是狼狈。

张艳是苏琳同寝室的，我和苏琳从北京回来之后才认识的。说实话她的确不算美女，个子不高，虽然不算肥胖，但是也绝对谈不上所谓的身材，用她自己的话说是该肥的地方肥，不该肥的地方更肥，虽然真实情况没有这么糟糕，但是总之她是那种各方面都不太让人容易动邪念的女孩。

我正想着，却听到有人笑我，我把书包从脖子上费力地脱下来，转身一看，原来是肖斯文，肖斯文问我怎么了，我说我在跟张艳玩呢。肖斯文笑了笑，说了声继续就走了，任凭我在水深火热中挣扎。

好不容易挣扎回了寝室，老大还没回来，肖斯文说大概还得过会，然后就开始感叹起来，朕尝遍寻天下豪乳而不得，今日一见36D，朕豁然开朗矣。我又骂他孽畜，两人贫了半天，我才忽然想起来问肖斯文，36D是谁啊？他说就是今天命令你提包的那个张艳啊，他一脸陶醉，还顺便用手做着姿势，很是醒醒。我说得了，我怕你行了，我直接等老大的讲义，不跟你撇。

肖斯文不屑地扭过头去，继续聊他的QQ。过了一会老大果然回来了，我找他要讲义，他很爽快地找给我了，然后还专门指点了一下他自己的一些分析，说按他圈的重点肯定

没错，老师有时候圈重点喜欢蒙人。我点了几个头，带着讲义准备下楼，却发现肖斯文已经在楼下了，我问他干什么，他说看到美女就要勇敢行动啊，今天这么一个 36D 不介绍给朕，叫朕以后怎么委你治国大任啊。我切了一声，说要回窝去了。他也不说声再见，而是拦住我要电话，我说别找我要，你这个孽畜不知道又要做什么伤天害理的事情，到时候贫道岂不是成了帮凶。

肖斯文几乎发誓说不会做出以前这样禽兽的事情，我无奈把苏琳寝室的电话告诉他，叫他直接找张艳就可以，言罢，我扬长而去。

回到小屋，感到一阵久违的甜味，卫婕问我怎么这么快啊，我说还好，然后把刚才路上的奇遇讲给卫婕听，问卫婕，你说这样一种情况肖斯文会不会动真感情啊。卫婕眨巴了一下眼睛，不置可否，然后问我对她是不是真的，我自然回答是真的，比 999 的纯金还真，她却显得有一点忧伤：

"其实最好欺骗的人还是自己。"

10 生活对她不好不坏 衣袖上是小 小的补丁

开学第一次点名的时候，我又看到了肖斯文，他一脸神秘地告诉我他在追 MM，我说不会吧，又是哪个女孩子要被你这个孽畜糟蹋。他一脸不快，说这是真爱。我说真你个大头鬼啊，你真爱我就是水晶之恋啦。他切了一声，说你以为我现在还这么有心思浪费在这上面啊。辅导员见秩序有些紊乱了，就干咳了一声示意安静，然后继续像传道一样宣讲这学期的纪律，然后是发成绩单。发完成绩单，肖斯文一看，乐了，居然一门没挂，再看看我的，居然也没挂，两人兴奋得几乎要抱在一起。老大看了我一眼，又一次哀叹，六十分万岁的幽灵还在我们头上徘徊。我和肖斯文做了个鬼脸商量着晚上兄弟四人一起去吃饭。老二在一旁有些沮丧，他一个人三门红灯高挂，兄弟三人连忙私下安慰老二，老二说没事，别为他担心，老大就说了，你在校外住，也该来上上课了，虽然老四也不经常上课，但是平时还记得翻翻讲义什么的，还是有空多回来好，就当看看兄弟。肖斯文就说了，大男人何必这样沉迷呢，爱情太浓就会把男人的斗志磨得一干二净，还是有个度为好。

我则在一旁沉默着，我有些害怕，跟卫婕在一起的日子，那种要把人融化的幸福感会不会把我也变得跟老二一样？我还记得老二初来这个学校的时候，他跟老大差不多高，却只有老大一半那么宽，瘦高瘦高的，神情总让人觉得有几分阴郁的诗人气质，可惜却从来不捉笔杆子。他在大一下就和叶馨出去租房子了，叶馨是那种很小女生气的女孩子，一头直直的长发，却喜欢梳成羊角辫，老二也并不显得成熟，因为我前面就说了，这寝室除了老大以外，都是走着相同的人生路线来到这所学校的，小学六年，初中三年，高中三年，一直上了大学，所以除了老大，我们这三人谁都不会比谁成熟。我有些不明白，不是不明白他们为什么在一起，而是不明白为什么他们要早早地过上那种成人的生活。尽管我已经没有权利指责什么，但是我真的依旧不明白，我唯一的解释就是那种幸福到麻木的感觉。

　　点名完了以后我回到我和卫婕那个幸福的小窝，卫婕也是今天报名，她回来比我早，问我怎么闷闷不乐，是不是有几门挂了，我说没有，我全部过了，她又问我那脸色怎么会这么难看，我说我忽然想搬回去几天。她很奇怪地看着我，问这里难道不好吗？我说就是太好了，所以才害怕。她又问我，是不是不喜欢我，我说不是，但是我真的很害怕在这样的环境中没了斗志。

　　她却哭了，我连忙过去安慰她，她扑在我怀里，使劲用拳头打我的肩膀，说我不要她了，我连忙说自己错了，但是我知道任何解释都没有用，我不知道我能不能真的离开她，但是她却似乎真的无法离开我了。

　　我开始后悔说了这些话，两年后我孑然一身，无意中逛到龙虾湾弯弯曲曲的胡同小巷子，才发现原来走这条路线已经成了习惯。我看了一眼我们曾经住过的那间小屋，屋子里还亮着灯，那里依然是我和卫婕曾经温馨的小屋，传来的却是别人的欢声笑语，心中一苦，扭头走开了。

2002年的卫婕很乖，劝了一会就不哭了，说要我不要离开她，我说那是当然，绝对不会，我们吃饭吧。她说回来的时候菜市场已经打烊了。我说那好，就下去吃吧，找个地方吃点宵夜当晚饭，她说好，我就牵着她一起下楼。

她说去夜市，我说不要了吧，上次喝得这么醉，这次又喝醉了怎么办，她却很温柔地说不会再喝酒了，只吃点东西。我还是不同意，说在附近找个小餐馆吧。她说好，那找个人少一点的地方。我们就在路边一家看起来比较干净的餐馆坐下来。她点了两个菜，都是我平时炒给她吃的拿手菜，一个虎皮青椒，一个水煮肉片。我说吃这么多辣的对皮肤不好，她说无所谓，你不嫌弃就行了。我说怎么会呢，饭吃得很快，两人没说什么话，我看吃得差不多了，就问她还吃不吃，不吃就回去。她说好，这时候却发现老二和叶馨来了。

老二的真名叫陈杰，很普通的一个名字，我给他打招呼说陈杰，好久没见了，他见是我，显得有些激动，说好久没见了。其实，点名的时候就见过的，两人却觉得真的好久没见了。我问他现在还好吧，他说不错，他问我是不是天天在这里吃，我说今天菜场打烊了，他很羡慕地说你们还会做菜啊，卫婕说这都多亏汪平，我笑了笑说没什么。然后寒暄了两句就结账走人。

卫婕问我遇到的两个人是谁，我说是我原来同寝室的，她叹了一下，说他们两个还像小孩子，真不知道以后会怎

样。我说搬出来住跟小孩子气有什么关系啊，她说你以后就知道了，如果两个人都小孩子气，以后结局肯定很惨。我连忙叫她别说风凉话了，然后说还好，我们俩在一起的时候你总是能帮我拿主意，否则好多事情真不知道该怎么办才好。她说没什么，你现在也慢慢长大了。

后来我回忆这个细节时总觉得说错了点什么，但仔细一想又的确没什么，大概是因为总是把自己放在一个和卫婕并不对等的位置，所以后来，卫婕走了以后，我很长一段时间都失魂落魄的，不知道该做什么好，甚至该什么时候吃饭都不知道。

我和卫婕的日子就这样过着，过得还算有方向，我所担心的事情并没有发生，相反，她反而天天催我起床去上课，她的课比我们清闲，所以她总是在上完课后到楼下等我，这种举动引来了不少仰慕甚至嫉妒的目光，但是显然，当时我却没有体会清楚那种旁人艳羡的幸福。晚上她去酒吧上班，我则做好宵夜等她回来，我每每跟她说这样太辛苦，要不我也出去找份兼职好了。她说不要，我又说，晚上我每天去接她好不好，她也说不要。她总是说好好待着就行了，别想太多。慢慢的，我养成了一种习惯，就是顺从她的每一句话，因为她的每一句话仿佛都成为我思考的一部分，让我无从拒绝。

11 傻瓜，你竟然忘记 暮年会吞噬所有的人

新闻评论写作课上，我正在走神，内容大致是与苏琳有关的，忽然却发现短信来了，我打开一看，是徐琴发来的，她说她准备登上回武汉的飞机，如果有时间就去机场接她。我本来想问她怎么一个月前就说要回来，一下子耽误到现在，但是一想她等下肯定要关手机了，所以长话短说，就说准备过来。

如果不发这个短信，我还一时真想不起她来，那次火车上邂逅以后，就跟她通过一次短信，跟卫婕在一起以后，我就好像彻底地把她忘了，就连苏琳的影子都开始淡了，更何况是一个火车上偶然邂逅的女人。我请了个假出去，走到校门口才开始盘算起来，去机场的大巴一小时一趟，怕会赶不上，但是坐的士即使不打表也要一百多，这笔钱对我来说也是个大数字。如果不是每次卫婕买菜回来，我可能连饭都没得吃。我蹲在校门口点上一枝烟，想了一会，正要回去，忽然想到她回来大包小包肯定很麻烦，既然答应了还是好人做到底。我拦了辆的士，谈好不打表一百二十块，就径直上路了。

车好不容易驶出了市区，在通往机场的高速公路上奔驰。此时还没到中午，阳光越来越浓烈，高速公路两边的菜地和被开挖得破碎的山石在眼前一晃而过。大概一个半小时以后，到机场了。CA1333 航班大概十点一刻才到机场，我到的时候还很早，在大厅里逛了逛，这里来来往往的人都显得很匆忙，带的行李却也奇少，完全不同于火车站那些为了生活大包小包奔波的人们，我在大厅一角的书店翻了会书，觉得有些累了，找个角落坐了一会，徐琴就打电话过来了。我本来以为她会带很多行李，结果除了一个 LV 的女士包，没有其他任何行李。我很奇怪地问她没带行李怎么还要人接，她却说从机场回市区一个多小时的路程，没有人陪着说话多无聊啊。我心里为那一百二十块车费不值，面上却假装殷勤地要帮她背包。她说我一个月不见怎么变滑头了，我说我很辛苦上着课赶来替你拿行李，不能真的空着手吧，这怎么叫滑头呢。她笑了笑，说一起回去吧。

一路上话不投机，她只是问我在学校里的一些事情，我说学校刚开学，没什么感觉，只是觉得新生 MM 好像一届比一届漂亮了，她说想不到你肚子里多少有点坏水，是不是你说的那个禽兽室友教的，我说怎么会呢，以往学校的新生中比较漂亮的女生都已经包产到户了，那些色狼到了大二就没办法对学妹下手了，她又问我有没有女朋友，我说算是有吧，她又问是不是包产到户的时候抽到上上签了，我说我才不这么无聊呢，哄小妹妹很费精力的，碰到有缘的在一起才是王道。她说我变聪明了，爱情这种东西是强求不来的。

后来苏琳跟我也说过这样的话，那时我才真正感到无可挽回，以至于不能不在脑中搜索这句话的出处，当我想到徐琴跟我讲的,不禁有一些讶异,是不是这句话有着某些程度上的魔力,总能进行一些可怕的暗示,而且是完全相反的意思。

车到了市区,司机问往哪里开,她说去南湖花园,她问我去不去她家里坐坐,我说还是回学校吧,她说怕什么,我在学校的时候也经常翘课的。我说那好吧,反正是休息休息。

徐琴的家里装潢得很雅致,却显得很空。偌大的客厅里只孤零零地摆着一条沙发和一个茶几,她见我有些讶异,很不好意思地说房子太大,一个人住得很不自在。她去厨房端了杯果汁过来,说早知道一个人住就不买这么大的房子了,我却在心里暗暗盘算毕业后要攒多少钱才能付得起首期,心里有点郁闷。

我于是问她怎么没有男朋友。她笑着说你怎么越来越不懂礼貌了,我却反诘说你不也问了我有没有女朋友么,她又笑我滑头,说这些事情说来话长,以后慢慢就知道了。我也没继续问了,她带我到各个房间去看,这是一套很不错的复式结构的房子,她很聪明地利用了每个房间,有卧室,有书房,甚至还有健身房。她很不好意思地说卧室太乱了,我却称赞她墙上挂的油画很漂亮,她淡淡地说是朋友送的,不挂出来显得不礼貌,我仔细看才发现原来墙上挂的是一幅应该挂在咖啡馆的油画,明丽的色彩,很简单的线条勾勒出一个咖啡杯和一张信笺的轮廓。我说这幅画挂在书房应该不错。她点头表示同意,要我帮忙把画挂到书房里,她书房里的书并不多,倒是一台 Acer 的红色笔记本电脑显得有些醒目,我在她的书架旁徘徊了一下,发现两本译林版的卡尔维诺文

年华若樱

集，取出一本《我们的祖先》，我问她是不是很喜欢卡尔维诺。她看着我，淡淡地笑，不置可否。我有几分尴尬，又把书放了回去。

2001年的时候，译林出版社雄心勃勃地推出了精装本的卡尔维诺文集，但是在很长的一段时间里，市面上都只能找到五本中的两本。一直到了2004年，我孑然一身去了广州，才偶尔在书店里找到最后的第五本。看着淡黄色的封面，心里泛起一阵柔情。那时，我已经失去了徐琴的联系方式，但还是把那套书买了下来。我一直把那套书留在身边，不曾翻动，任它们跟随着我在那个充满了竞争与陷阱的城市里经历一次又一次的搬迁，只是想着有一天，我能够把它送给我的徐琴。

2002年的徐琴在她整洁的房子里找不到锤子和钉子，有些委屈地看着我。我说把画摆在书架上算了。她说先吃饭吧，我说不用了吧，怎么能麻烦你下厨。她却已经围上了围裙，我无奈，跟在后面进了厨房，我这才发现上当，她冰箱里全是保鲜膜封着的熟菜，她挑了几份放进微波炉里，然后一副师傅模样站在一边等，我见没什么事情做，就问她米在哪里，然后淘好米放在电饭煲里调好时间。我对这样的厨房生活实在有些无话可说，只能小小嘀咕一句，你这也叫下厨啊。她说那还要如何，难道还要那些什么油啊，酱的，多麻烦啊。我一脸狐疑，但还是点点头表示同意。

厨房外就是独立的饭厅，餐桌上还有个精致的烛台。吃着饭她打开话匣子，说她的那个朋友真心细，叫他来帮忙把房间收拾一下，居然还不忘记买些东西放在冰箱里。我说他是男的还是女的啊，她说是个男的，不过不是我男朋友，人

67

挺好的，就是对人太粗暴了一点。然后说不提他了，吃饭吧。

　　吃完饭我说要告辞，她说再聊会吧。我说不用了，下午搞不好还要点名的，还是早点回去好了。她又问要不要送，我说不用，你刚下飞机还是休息一下，我自己打的回去。她说还是送到楼下吧。一路说着以后有什么事情多联系之类的话，最后我问她为什么要我去接她。她只笑笑，想了一会说："你说呐？"

12 小猫把鱼也种在地里，到了秋天地里一条鱼也没有长出来

　　回到学校心情还不错，放学了，肖斯文一脸严肃地说中午卫婕到处找你，你跑哪里去了，我说我去接一个朋友了，肖斯文感叹了一下说，你小子真是深藏不露，把校花哄得围着你团团转，以后真得找你学两手了。我说你个孽畜，你不是真的去追张艳了吧。他说那还有假啊，朕一向言必信，行必果。我说你真的别乱来，到时候苏琳知道了肯定以为是我出卖的，本来跟她就有误会，你再一乱来不仅苏琳有意见，就连以后要给苏琳带信的人都没了。他说放心吧你，我不是都跟你发誓了吗。虽然这么说，我其实越发不放心，但是也不好反驳，就说那也好，如果真跟张艳在一起多帮我美言几句。他却反过来说我是孽畜，我说怎么了，他说现在卫婕在你身边你还觉得不够啊，还想再踏上一个苏琳？我说去你妈的，哪里跟哪里啊，我跟苏琳吵翻了，起码得解释一下吧，以后做个普通朋友也行。肖斯文则摆出一副过来人的姿势，我跟你说了，这禽兽呢，就是两种……我连忙打住，得了得了，我不说行了吧。肖斯文说，爱卿现在才上路了，记得一点，爱一个女孩就好好爱，不要像我以前那样。我瞪大眼睛

看了半天，实在看不出肖斯文有什么质的变化。揶揄着说那也对，搞得跟肖斯文一样就是孽畜了。肖斯文嘴里嘀咕着我死心眼，然后说得回寝室有事了，一个人走了。

我回到小屋打开门，看到卫婕躺在床上，也没有上网，显得有些失神的样子。我问她怎么了，她说没事，又问我中午去哪里了，我说没去哪里啊，上午去接一个同学了。她说没有见到我，有些担心我，我说不用担心，都这么大的人了，又问她买菜回来没有，她说没有，下午一直没出门。我说不如一起出去买点吃的吧，顺便去逛逛，散散心。她说好，于是换好衣服跟我一起下楼。

傍晚的阳光显得有些安详，卫婕说我们好久没有出来散步了。我说以后我们天天出来散步好了。她说不用了，只要记得陪她一起看樱花就够了。我说樱花开还早呢，得等到来年3月份。她好像有些不高兴，我问怎么了，她说樱花开得太快谢得也太快，真怕来年3月我陪不了她，我责怪她太多心了，然后说明年3月，无论如何我都陪她看樱花。我们走到菜场，我挑了几样她喜欢的菜，有西红柿，还顺便买了些水果。再往前走，却忽然听到了张艳的声音。

倒不是因为别的，只能怪张艳的声音太有特色了，那种很尖的嗓音，总让人觉得全身酥麻酥麻的，我循声看去，居然发现肖斯文和张艳在逛菜场，两人打打闹闹，一点也不顾周围惊讶的目光。他们同时发现我了，倒是张艳先吃了一惊，嘴巴张得老大，我装作一副无事人的样子，连忙介绍，这位是卫姐姐，以后见面要叫姐姐。卫婕也好像看出了什么，连声称赞说想不到你还有这么乖的小妹，我这个乖弟弟真有福气。张艳点了点头。倒是肖斯文一改刚才在张艳背后

一脸幸灾乐祸的表情，急忙也出来解释，还记不记得原来跟你说的肖斯文的美女姐姐，张艳说你哪里讲过，又骗人，肖斯文则把莫须有的谎话说得有板有眼，弄得张艳一愣一愣的。

我开玩笑说张艳怎么找了个这么个猥琐的男朋友，张艳却揪着肖斯文的耳朵说才不呢，我要他过来买西红柿给我吃。我见刚才买了几个西红柿，就说你们全部拿去吧，菜场这么脏，亏你们也想得到来这个地方。两人提着西红柿疯疯打打连谢谢都不说一声就闪了。我和卫婕相视一笑，我说想不到肖斯文还有童真的一面。她说其实每个人都有的，只是不到开心的时候表现不出来，如果能天天开心多好。

我和卫婕往回走，却发现西红柿已经卖完了，就买了些别的菜回去。晚饭吃得很开心。卫婕又提起了肖斯文，说如果他天天像在菜场那样对女孩子就好了，我想他一定是有不开心的事情才到处拈花惹草的。我说那我也不知道，事情应该没有这么简单，其实他是个很矛盾的人，到处寻花问柳，失恋以后还总是一副很伤心的样子，一点也不像装出来的。卫婕说别提他了，只希望他能够真正的好好爱一个女孩子。

"如果我们天天都能做孩子就好了。"卫婕望着窗外，一脸忧伤地对我说。

第二天是周六，透过窗户，早晨的阳光没这么强烈，我看到学校里的人多了起来，莫大一向以风光旖旎闻名，到了节假日总有不少人慕名前来观光。我说卫婕我们一起去走走吧。卫婕说不舒服，算了，你一个人出去走走吧。别把自己憋坏了。我问她要不要紧，她说没事，我也知道是"那个"来了，就没多问了。把窗户打开，说透透风，她说谢谢了，她很开心。

我下楼第一感觉就是要回一趟寝室看看，在寝室楼下却看到张艳和肖斯文要一起出去。我问寝室还有人没有，肖斯文说没有了，老二几百年见不到人，老大上自习去了，你都自己搬出去一个人住了，看看我现在多寂寞，然后又一脸幸福地看着张艳说还好有你陪我。张艳说你去死吧你，这两天不是苏琳天天一脸不高兴，怕惹她生气，才不会跟你玩呢。

我问张艳苏琳怎么了。张艳说苏琳回学校请了个假就回北京去了。我说什么时候走的啊，她说昨天就走了，对了，还要我别告诉你，今天我告诉你了别说是我说的。我说不会不会，我又问苏琳说了些什么，张艳不说，肖斯文则在一旁努力地开导，张艳小声说她又去新东方上高级班了，我涩涩地听着，肖斯文在一旁不好说话，只好很隐晦地说，算了，人家看起来是准备出国了，你还是先放下这份心吧。我顺坡下驴，随口道今天天气不错，不耽误你们玩了，快去吧。

他们俩像孩子一样嘻嘻哈哈地走远了，我则坐在寝室楼下的一个角落里静静地发呆。点上一枝烟，看着烟雾在空气中融化，我仿佛又看到那许许多多个和苏琳道别的夜晚，多少次舍不得分离，以至于看门的老大爷都认识了苏琳这个美丽而单纯的姑娘。最后一次跟苏琳在楼下吵架，她一个人悻悻地走开，而我却没去挽留，我使劲揪着自己头发问为什么没有去留住她，直想哭。

我给苏琳打了个电话，想给她问好。接通后，我却不知道说什么，她在那边说是汪平吗，我想说，却发现话到了喉咙眼却哽咽着，说不出来，她以为电话断了，又"喂"了几

声，我却听着她的声音开始越发沉默，仿佛太多的话想说却又说不出来。苏琳又催了几声，大概以为信号断了，就把电话挂掉了，我听着一串急促的"滴滴"声，默默地收了线。没一会，电话响起来了，我默默挂断，然后关机离开了学校。

卫婕问我怎么这么快回来了，脸色这么难看，我笑着说没事，有点不舒服，卫婕问我要去诊所吗，我说不用了，休息一下就好了。晚上卫婕上班去了，我上着网却忽然想起苏琳，她好久没上线了，我打开她灰暗的头像，想说点什么，却又觉得不如打电话直接。我还是拨通了苏琳的电话，电话那边传来她甜美的嗓音，我却再一次陷入沉默，听着她默默地把电话挂掉。

我听着那一串急促的"滴滴"声，有些不知所措。把电脑关上，抽枝烟睡着了。

在梦中，我似乎又到了新东方。那座在梦里依旧浮在天空中的城市，杨风和苏琳牵着手正徜徉于繁华的大街，苏琳美丽依旧，但身边的人却再也不是我。我从梦中惊醒，一身冷汗，却发现卫婕静静地躺在我旁边甜蜜地睡着了，嘴角挂着一丝微笑。

我下床，独自蹲在窗台上抽烟，一根接一根，望着窗外城市惺忪的灯火，叹了口气，我开始感到不甘心，尽管我已经有了如此的幸福，但人是贪心的，如果心里缺了这么一块重要的东西，我依然会觉得自己像一个轮椅上的富翁，拥有着，却失去了任何幸福都无法挽回的痛苦。我摔掉烟头去上网，我已经无法入眠。

我戴着耳机，听着那首保罗·西蒙的《SCARBOR-

OUGH FAIR》，我记得网上一个写乐评的朋友说，这首古老的情歌里，歌中的那个斯卡布罗集市其实是暗指那个姑娘毫无缘由地离开了这位歌者，而歌者对姑娘提出的这些完全不可能实现的要求是在向她表明，爱情有时必须要求双方做出在常人看来不可能的事情才会持久。我想知道有什么是不可能的，我又想打电话给苏琳，想着她已经睡了，又放下来。我在想我是不是真有勇气跟她说点什么，或许我该做点别的什么……

　　第二天我没去上课，惺忪着眼睛去了银行，我的存折里还有五千块钱，这是我这个学期的生活费，老妈总是心疼我在武汉过得不好，给的生活费比周围的孩子要多，这让我有些犹豫，废了好几张单子，还是决定全部取出来，我在隔壁办了张去北京的机票，这一次我没有跟卫婕说，回想起来大概是忘了，或者根本没有过给她说的念头，我在飞机上睡着了，尽管我知道那时我一点也不困，但是不知道为什么还是睡着了，我做了一个梦，梦见什么我不记得了，只记得醒的时候汗水已经湿透了衣服。

　　下午就到了北京，轻车熟路去了新东方，我不知道他们下午什么时候下课，也不知道他们会从哪里出来，但是我打定主意一定要等他们出来，把话说完，很多跟苏琳没有说的话都憋在心里，不管结果如何，都必须说出来。

　　我在门口焦急地等待，此时的北京没有武汉那么热，但我全身还是出了汗。不知道是天气，还是出的冷汗。我看着杨风和苏琳一起出来了，苏琳看了我好半天，嘴巴张得老大，表情里半是惊讶半是欢喜，我感觉有些欣慰。我说我从武汉来找你了，她说你最近还好吧，然后介绍这是

杨风，我说我认识，杨风看见我的脸色不好，就说好不容易来了，找个地方坐坐吧，你应该还没吃晚饭吧。我说好，我们随便找了间餐厅坐下。一路上苏琳问我最近怎么样，好不好，我说很好，她又问张艳，后来还问到了肖斯文，我无心仔细解答，餐厅里坐下来点菜，她问有没有虎皮青椒，服务员说这是上海菜馆，没有这个，她笑着说这是你最喜欢吃的，我说是啊。杨风在旁边面无表情，什么话也没说。我忽然拉住苏琳的手说，我有话对你说，苏琳一把挣脱，显然我把她捏疼了，苏琳甩了甩手，整理一下表情说有什么就直说吧，不要紧的。我说那天晚上真对不起。她说没什么，都过去了。我说我们回去好不好，没必要老在这里待，她说一个月后她就会回去的。我说别这样我知道都是我的错，但是为什么不给我机会。她说这都是误会，其实不是你想像的那样的。

我有些激动了，说："误会？你是我女朋友，我就看到你和别人在一起，你想过我没有，就这么一点余地都不留给我吗？"我有些语无伦次了。苏琳看起来也生气了，说你太自私了，还是像原来那样任性，老是耍小孩子脾气，就不能好好地想想别人怎么想。我说你要我想什么？想你们如何在一起，想着我最喜欢的人跟人远走高飞，我却像个傻逼在那里想。我想什么想啊我。我狠狠地盯着苏琳的眼睛，一只手指着杨风问她是不是要跟这个王八走。杨风很镇静地把我的手拨开，说这里面真的不是你想像的那样，要我听他解释。我站起来一把抓住他的衣领，骂了一句解释你妈个胯子，一拳头砸在他鼻子上，他没站稳，一下就蹲在了地上。苏琳连忙上去扶，我看也没看一眼，不顾周围惊恐的眼光，扬长而去。我在街上漫无目的地游走，像上次来北京一样，华灯初上，我像一个游魂般游荡。看着天色彻底黑下来。

我的手机响了，是卫婕打来的，我没有心情给她撒谎，也更不能告诉她我已经在千里之外的北京，想了一下，挂掉了。过了一会又有电话打来，是个陌生的北京的座机，我想可能是苏琳的，犹豫了一下，还是接了。电话是苏琳打来的，苏琳很生气地质问我为什么打人，我说我看他不爽行不行，她说那好，我现在在这家餐厅门口等你，你如果不来我就站一晚上，我说你站就站，关我屁事，然后狠狠挂掉电话。

我蹲在地上，这里的街市跟武汉并没有什么区别，甚至路灯的光都是如此的惨白。我想了很多，这个过程像在做梦，仿佛又把和苏琳在一起的日子回放了一遍，我开始觉得在餐厅里的确太过火了，虽然我不想给杨风道歉，但是我也知道苏琳的犟脾气，她是会真的在那里等一个晚上的，如果我不去劝她，就太不近人情了。

我拦了辆的士，指明了地方，车里，我的手机响了，是个短信，我打开一看是卫婕发来的，她问我在哪里，我把短信删除了，没有理会。又过了一会她打电话过来，我挂了，她继续打我就继续挂，司机提醒我到了，我刚想下车，就看到苏琳和杨风站在街对面，苏琳一个人在哭，杨风用一团棉花塞住了鼻孔，看起来有些滑稽，他静静地站在苏琳背后，在劝着些什么，好几次要拉住苏琳的手，却被苏琳挣脱了。最后他不知道说了句什么，我看见苏琳忽然间转过身，趴在杨风身上哭，杨风显得有些手足无措，抱着苏琳不知如何是好。苏琳却在疯狂地亲吻杨风的脖子，杨风无措之后，也很快学会了配合，两人紧紧搂在一起，在街头狂吻。我鼻子一酸，差点哭出来，转过身去抱着头，我开始害怕自己的眼睛，希望什么都看不到才好，为什么看到的这一切，要对我宣告一切的破灭，我知道，这么大的城市里，已经没有了我的容身之地。

司机催我下车，说这里停车要罚款的。

"直接去机场吧。"我有气无力地说。

13 春天不可能使它恢复健康

　　我回来的时候是第二天中午，卫婕在屋里等我，脸色很难看，看得出一夜没睡。她问我干什么去了，为什么打我的手机老是挂掉。我说没什么事情，只是不太舒服，到处走走。她说一走就是一天，你知不知道我昨天到处找你，连汉口都逛遍了。我说我现在不是回来了吗。她说你是不是去找女人了。我说什么跟什么啊，你怎么想到这里去了。她问我为什么骗她，到底心里面是谁。我说真不明白你说什么，然后又说你肯定是昨天晚上没睡好觉，别想这么多了，搂着她让她躺在床上，她却一把挣脱了我，说为什么都在一起了，还要想着别的女人，我说我真受不了你了，一天没回来你就想这么多。她却一下抱着枕头哭了，我递面巾给她她也不要，于是她又开始嘀咕，说为什么所有人都要骗她，她独自自怜起来，我独自坐在一边抽烟，也懒得劝她。过了一会见她还是哭，我说该哭完了吧。她却站起来用枕头砸我，我把枕头捡起来拍拍上面的灰，又放回床上，继续听她发泄，她说你说话啊，为什么要这样对我。我说我到底怎么了，你说明白点好不好，无根无据拿我当出气筒，我的忍耐可是有限度的啊。她说你还装，不要以为我什么都不知道，我说那你

拿出根据来啊，凭什么说我是出去找女人了。她说那你说你干什么去了。我一时语塞，就说我爱去哪去哪，这还用得着跟你打报告吗。她说原来我真的没猜错，真看错人了。她反复重复着那句"真看错人了"，从床上爬起来，鞋也没穿就开始砸东西，把桌上的书全部掀在地上。我火了，说你有完没完啊，她又继续砸枕头，我勃然大怒，一把把她掀翻在床上。

后来我跟肖斯文在夜市喝酒，我半开玩笑地问上次我偷偷跑去北京是否是你告的密。他说我们这么多年在一起你还不知道我的性格啊，什么时候出卖秘密给别人呢。他说那是你笨啊，你不知道女人是最相信直觉的，你又不如我会撒谎，所以越涂越黑。我又问他怎么知道我不会撒谎，肖斯文哈哈大笑，你这德性我不用猜就知道你们俩要吵架，不听你们俩吵架我就知道你们吵的什么。我又问这么懂女人怎么还老是失恋，说到这里肖斯文倒是一脸沧桑，"不是我糊涂一时，就是人算不如天算啊。"他这样对我感叹说。

2002 年的我其实一无所有，卫婕一直对我很好，那种幸福的感觉曾经充满过我的心，但是时间一长却全部消失，只留下虚无。那时的我只有大把的青春——于是用于挥霍，永远不知道珍惜。

我给徐琴打了电话，问她在干吗，她说没什么，反问我现在好不好，怎么听起来不高兴，我说没什么，只是刚刚挨了女朋友的打，累了。她说恐怕不是这么简单吧，听你的声音很不对劲，我说真的没什么，我手机快没电了，不多说了。她说那好，我们约个地方见面吧，这么一个人憋着也不好。我说好，那你说地方吧，她说算了，就来我家好了，我

79

在小区门口等你。

我打的到她小区门口的时候，她已经在那里等了，她打趣地问我怎么了，我说没什么，真的没什么，她说那先到家里再说吧。到了她家，她煮了杯咖啡给我，对我说其实感情的事情很简单的，你这样可爱，肯定是床头吵架床尾和，女生都会让着你这样的男生的。

她并不知道发生了什么事情，所以这样劝我一点用没有，我说算了，不要这样劝我了，我自己的事情乱得像鸡毛，自己都弄不清。她说那看起来很复杂了，你说说看，姐姐我能不能帮你解决点儿问题。我摇摇头说，解决不了的，现在只是很懊悔，脑袋里太乱了，一时间说都不知道从哪里说起。

她说那就从最初说起吧，我说没有最初，青春会老，感情会旧，爱情会死。她笑了，我开始给她讲卫婕的事，她忽然打断，问卫婕在哪里打工，我说在酒吧，她点了点头，示意我继续说。她又问，那你昨天到底去哪里了，我不想说，就说现在好乱，让我静一静，我不是不敢对她说，而是想到昨天就开始陷入一种类似完全绝望的迷茫之中，我用手托着下巴，透过落地玻璃窗看着外面强烈的阳光，觉得有些刺眼。我不说也罢了，说出来太绝望了。

她伸出一只手抓住我的手，问我们是不是朋友，我说当然是啊，她说是朋友就把心事讲出来吧，再伤痛的回忆都讲出来，讲出来一切都好了。我说我不敢想，她却把我的手握得更紧了，说你男子汉，没有什么过不去的事情。我又想起了在车窗外看到的那一幕，不禁鼻子一酸，哭出声来。

她连忙坐过来安慰我，递给我面纸，说大男人哭什么，

我说如果是你也会哭的。我擦了几把眼泪，觉得好多了。示意她不用递给我面纸了。她却兀自坐在一边叹道，大学里她也恋爱过，如果有个男生能为她这么哭，她也一定会感动的。她开了一瓶红酒，倒在一个高脚杯里递给我。我一饮而尽，红酒有些涩，让我觉得像眼泪。

她问我好些了吗，我说好多了。她说还是留在这里吃饭吧。我说不用了，她说那你走了以后去哪里啊，给现在的女朋友道歉吗？我说不用了，我再不会回去找她了。她点了点头，不置可否，然后说看起来你困了，就在我这里休息一下吧，看起来你昨天一晚上没睡。我的确一夜没睡，这种夜里我哪里可能安眠，我在一间小旅馆里辗转一夜，居然都没有哭，我只是静静地回忆，然后让记忆把心割得生痛，然后到楼下的小酒馆里点了点小菜，要了两瓶小二锅头。飞机上，我没有哭，酒精催人入眠，但是心痛的感觉却又如此让人清醒，只是希望在卫婕那里找回那种幸福的感觉，好让我遗忘痛楚，但是刹那间，我虚构的美丽世界也崩溃了。我已经无从解释卫婕怎么知道我做了对不起她的事情，但是惟一可以肯定的是，在离开她以后，我会一无所有。

徐琴的手机响了，接完电话，她说这样吧，我出去一下，处理一下公务，晚上才能回来，冰箱里有些吃的，自己热了就可以吃的，酒和饮料都是现成的，客房里有张大床，困了可以去睡觉。如果想一个人静静，就在这里待着等我回来吧。我说好，你先去忙吧。她说别太伤心了，这里很安静，是个适合想问题的地方，说完就急匆匆下楼去了。

我独自一个人坐在落地玻璃窗前喝着酒，我太累了，和着酒精的压力，我在眼泪的味道里倒在沙发上睡着了。

81

我起来的时候，已经是晚上。发现徐琴一直坐在旁边，我说不好意思，把沙发睡皱了，她说不要紧，怎么这么见外，又问我吃了没有，我说不要紧，一点也不饿。她说还是吃点东西吧。我一进饭厅，发现饭菜已经摆上来了，她说她很不喜欢西餐那种很拘谨的吃法，还是这样比较好。这时我发现手机已经没电了，就问她几点。

　　她看看表说十一点了，我说我得回去了，她说你回去干什么？今天就在这里睡吧。客房还是空着的，我说我担心卫婕，她说有什么好担心的，你现在回去还得吵架，还是彼此都冷静一段时间好了。我觉得她说得对，就说那今天麻烦你了。她又笑我见外，然后说看你睡的，也不记得把空调打开，一身汗很黏吧。我说是啊，她说我还有几件表弟留在这里的衣服，吃完饭去洗个澡吧，把衣服换上。

　　洗完澡换上衣服，她说你去书房里上会儿网吧，我也去洗个澡。她表弟的那件白色衬衣显得很不合身，这样的衣服身高没有一米八五是没办法穿出形状来的，那袖子我简直可以甩起水袖了。实在想不到，看起来这么纤弱的徐琴居然有个这么强壮的表弟。我上QQ看看，一般这个时候卫婕都应该上班回来了，她很喜欢这个时候上网，而我自从把电脑卖给王洋以后就很少上网了，很多人给我消息，我都没看，一一关掉了，我很奇怪卫婕怎么不在网上，尽管我在网上也不大会跟她说话，但是多少有些狐疑，于是到猫扑上看了看帖子，看了几个感情帖之后，越发觉得不对，想着给卫婕打个电话问问，手机却没电了。于是在QQ上留言，首先是说自己不好，现在在网吧给你留言，希望她别生气了，有什么事情都过去就好，明天我就回来。

刚发完消息就看到徐琴洗完澡进来，问我玩得怎么样，我说没什么，好久没上网了，都不知道干什么好，她说那好，到我的卧室来聊会天吧。洗完澡的徐琴纤弱的身体在丝质浴衣下多了一种脱俗的美，显得更迷人了。

关了电脑，在徐琴的卧室里，她打开电视问我看什么台，我翻了一下尽是肥皂剧，就说没什么好看的，你自己点着看吧，她说那就关了算了。她问我现在心情好些没有，我说还好，只是刚才上网的时候发现卫婕不在，不知道她干什么去了。她说你还真是心细啊，一个晚上不上线你就这么敏感，我说那是当然啊，她是我女朋友啊。徐琴忽然没说什么了，好像是想了一下，说这次回来发现我一个月多好像经历了好多事，变了好多。我问她是哪些地方变了，她说比原来会讨人喜欢了，再就是感情比我想像得要丰富了。我说我们在火车上才聊这么一会你就能这么了解我啊。她说那有什么奇怪的，经常有人从我面前走过，我就能大致猜出他的身世，有时候还能猜出他失恋过几次。我问她那你看我呢。她说你啊，看不出来，虽然话多，但是心里的话从来都憋着，谁都看不出来，不过至少算今天应该有两三次了吧。我笑了笑，说你怎么知道啊。她说我当然知道，我还知道你……她很暧昧地笑了笑。我说知道我什么啊。她说知道你很多事情的。她忽然问我有没有和女生经历过，我装糊涂说经历什么。她却忽然坐起来伸手搭住我的脖子，我也似乎受到了某种魔力的呼唤，和她一起倒在床上狂吻起来。

徐琴那种比卫婕更有女人味的气息使我似乎在那一刻忘记了与苏琳的暧昧和与卫婕的缠绵，而在这种无边的快乐中，我并不知道令我懊悔的事情却正在发生。

此时的卫婕，正烂醉地躺在一个男人的车里，我不知道这辆车是一辆黑色的奔驰 S600 还是一辆二手的普桑，我只知道被酒精麻醉的卫婕一点也不知道她的处境。她被一个男人得意地横抱着上了楼，那个男人粗暴地进入了她的身体，她在痛苦与麻醉中呻吟着，念着我的名字。

　　而我，此刻在暧昧的灯光下，徐琴的声音让人迷醉，两人缠绕着试图与对方融为一体，她白皙的皮肤在完美的保养下，像婴儿一样白嫩光滑，好像任何一点挤压都能挤出水来一般。

　　而我的卫婕，她开始感到痛苦，她甚至开始挣扎，她喊着我的名字，身上的男人，却置若罔闻。

　　此刻，我却安逸地躺在另一个女人的床上赤裸着身体，窗外轻逸的风撩动起窗帘的一角，乳白的月光泻进来，徐琴的胴体上洒满了银色的光，像一尊卢浮宫里的雕塑。

　　卫婕开始反抗，她看见另一个已经发福的男人上来了，看着身旁站着的伙伴，越来越起劲了，月光洒在他光光的秃头上，他的眼睛像狼眼一样泛出寒光——她已经没有力量反抗了。她无力地躺在床上，哭着穿好衣服，感到无比的疼痛，两个男人坐在客厅里穿好衣服，然后假意好言来劝，秃头给了卫婕一叠钱，放在桌子上，说如果缺钱以后还可以来找他，卫婕啐了男人一口唾沫，男人却并不恼，依旧眯缝着眼睛很猥琐地看着她。卫婕还是哭，她没有拿钱，直接下楼去了，眼泪洒满了整个夜晚。

　　那天夜里，卫婕受了多大的苦，我一直不能知道。事后不久，我偶尔从老大的一个在健身中心打工的队友那里听到一些经过。那个夜里，我没做声，静静地听他讲述着校花卫

婕的故事，像在听一个毫不相干的人。他讲了一下，开始叹气说，这真是个命苦的女孩子。他问我说，你认识赵志刚吧，我摇摇头，他却笑了，说你应该不认识他，但是当年那窝烂人里，没有不认识他的。如果不是这个王八蛋，李秃子除了去宾馆，有哪个学生姑娘会被他弄上。

他呷了口二锅头，望着天说道，如果只是去骗一个女孩子上床，大概还可以原谅，这样的人简直猪狗不如，我的拳头捏得紧紧的，胸口胀得恨不得自己捅上一刀。

我的新朋友没有注意到我的表情，断断续续地说道，那天赵给他打了个电话，说他泡到个妞了，要我去，我从来不乱搞这玩意，有老婆呢，他拉我还不就是那个什么腰带的事，你说他这德行我给他带子我的牌子往哪里搁。我没去，他就说要找李秃子。那姑娘听说是你们学校有名的美女。现在大学生几个找工作容易啊，一年学费这么多，出来做点什么无所谓，只要是正当的事，本分就好。赵志刚这小子一直想上她，没机会啊，那天晚上想起来应该很怪，他电话里也自己说遇到奇迹了，那姑娘一个人喝酒，他一下过去，喝着喝着就醉得云里雾里了，如果是碰到别人，说不定还送到医院去怎么的，你说一个姑娘家喝那种龙舌兰酒，多烈啊，喝出毛病咋办。那王八蛋还管你这个，带回去估计就干了。然后第二天给我讲，说中午干完了晚上就叫了李秃子来，李秃子是个倒药材的老板，老粗一个，还管你什么糟蹋不糟蹋。

我再也听不下去了，抬头看看夜空，夜在眼睛里湿润了，我不能不闭上眼睛。

14 我曾经深深地爱着谁

　　第二天早晨起来，徐琴称赞我很棒，我说我要走了，昨天晚上的事情大家都忘记好了。边说边换着衣服，显得很狼狈。徐琴扑哧一声笑了，说小弟弟今天好不容易成人了应该高兴才对，我说我早就是成人了，昨天晚上被你害的。她又接着笑，说以后就不用这么害羞了。我已经穿好衣服，她留我吃完早饭再走，我连忙说不用了，没等她继续挽留就一溜烟地下楼了。

　　我编好谎话准备跟卫婕说只是想气她，晚上和几个高中同学一起通宵去了，谁知道我一进门，卫婕就哭着扑到我身上，我问什么事情，她也不说，只是哭，我急忙把她扶到床上，问她怎么了。她说如果我不像原来那么纯洁了你还爱我吗。我说别傻了，你还是你，你的心不变就行了。她又靠在我怀里哭，说要我无论如何以后不要离开她，我说我答应你，一定不离开你，发誓好不好。她却捂住我的嘴不准我发誓，我却把她搂得更紧。

　　当时我的确不知道发生了什么事，后来也没有追究过，偶尔哪怕是开玩笑问起来她也会立刻翻脸，抱着枕头哭，但是事实上，她以后再如何发脾气我都没有摔门而出，大概这

就是所谓的承诺吧。接下来的日子，似乎又回到了从前，依然是每天去上课，然后一起回来吃饭，做爱。幸福再一次充满我的生活。和徐琴的那一个夜晚也似乎真如我所说，两个人似乎都忘记了。

　　不知不觉间，秋天已经到了，天气越来越凉，仿佛天气决定了我和卫婕的生活，我们的户外活动越来越少，我也开始习惯这种两个人完全粘合在一起的感觉，小日子开始渐渐有了夫妻的味道。卫婕不再问我爱不爱她，她开始吵嚷着毕业以后如何等我一年结婚，几年后生个小孩子，她说她特别喜欢张学友那首《你的名字我的姓氏》，我说那如果生个男孩子呢，难道叫汪婕吗。她说那有什么不好，孩子一定会像你一样有才气；我说那也会跟你一样漂亮，不，肯定会非常非常帅，有好多女孩子追的。她说你可千万别把宝宝教坏了，到时候我肯定天天监督你是不是教小孩子泡妞，我说还用我教啊，这样的好孩子肯定每天要收不知道多少情书，我天天给他做收发员就够了。卫婕点了一下我的鼻子说，真是的，这样还是要女孩子好了，肯定又乖又漂亮。我搂住卫婕说那干脆以后就双胞胎吧，她说好，这时电话却响了。

　　肖斯文打电话给我说，明天 10 月 25 日，星期六，是他的生日，记得带上卫婕一起找个地方腐败。我说好啊，你带张艳不，他说那不是废话，到时候老大老二都会来，热闹着呢。我说那好啊，到时候一定拿蛋糕砸死你。他说你敢，你给我记得啊，你生日没请我，这次你给我自己先干一瓶谢罪，我说行啊，反正明天你这个孽畜结账，看我喝得你脱裤子结账。

　　第二天晚上，肖斯文请我们在小观园吃饭。小观园到了

周末就特别挤，结果闹哄哄的，很影响食欲。老大一人坐在
一边不说话，肖斯文很快就看出他的心思，就去劝老大喝
酒，老大喝了才一瓶脸就红了，频频祝贺三对情侣永结同心
之类的。卫婕敬了他一杯饮料，说老大也会找到真爱的，叶
馨在老二的怂恿下也敬了一杯老大。张艳却把我拉到一边说
悄悄话，她说不久苏琳就回来啦。我哦了一声，说谢谢她。
这时肖斯文拉张艳给老大敬酒，然后说老大就是老大，不管
怎么样还是老大。老大就开始说起原来的旧事，说原来高中
他是篮球队的主力，那时候总是有好多 MM 来看，现在到了
大学里，在校队打前锋，这时候来看的 MM 就很少了，好不
容易有点好感又被人拒绝，还是读书好，书里没有颜如玉也
好歹有个黄金屋吧。肖斯文就说了，其实人跟人就是不一
样，适合做点什么就做什么，比如说我们这哥仨，做学问没
什么出息，就该做啥做啥，有了 MM 在一起，也不知道能待
多久，还是搞学问好，女人会跑，学问跑不了。这话听得张
艳有点不舒服，肖斯文也没去劝，而是继续劝我们喝酒。酒
都喝得不多，一人就一瓶半的样子，菜却吃得精光，肖斯文
提议要走，结完账他提议说要去学校门口找个钱柜 K 歌。老
二说他要和叶馨回去了。肖斯文挽留不住，任他们走了，然
后拦了辆的士，给了钱叫的士去学校门口，然后说五个人坐
不下，我和汪平在后面走，老大做护花使者吧。

　　肖斯文见车一走立刻问我，是不是去北京找苏琳了。我
说你怎么知道，他说，你真是个超级笨蛋，这样逼女生，别
人不跑才怪，你还跟我在背地里笑老大，你这样做，不是跟
老大一样的下场。我说我只想把话说清楚，他说真不知道你
怎么想的，你看我现在跟张艳在一起两三个月了，还好好

的，虽然是男人都喜欢偷腥，但是你也该想想卫婕啊。我说你原来不是说卫婕是魔鬼吗。他说你别跟我拗来拗去好不好，你想想卫婕她这样还跟你在一起，她不是死心塌地爱上你了还是什么，我说你到底想说什么就说吧。他为难了一下说，这样给你说吧，本来这话不能说的，你去北京那天晚上苏琳就打电话给张艳哭了一晚上，张艳就说你这人小心眼，其实人家原来跟那个叫杨风的根本就只是普通朋友，一起在新东方读书而已，虽然这么说吧，一男一女这个年龄在一起这么长时间，真的只是那种普通朋友肯定不可能，但是毕竟没确定关系，那层窗户纸没捅破之前你还有机会，现在你这么一闹，把人家两个人都得罪了，现在好了吧，他们两个因为你一闹，闹到一起去了，如果不是卫婕死心塌地跟你，你倒是真的什么都没了。然后他又叹了口气说，你现在就是要好好地取舍一下，要苏琳，就跟卫婕把问题说白了，等下个月她回来了，好好地去道歉，杨风这小子如果作梗，有兄弟们给你撑腰；如果要卫婕，就好好地过日子，别想着当韦小宝。我说我真的做不出选择。肖斯文摇摇头一副过来人的样子，爱情这东西这么快就能想好就不是爱情了，反正你在苏琳回来之前拿定主意，自己的事情自己解决，兄弟我也只能帮到这里了。

两人说着话走到了学校门口，三人提着蛋糕在那里等，两个女生一个可爱一个漂亮，都在逗老大，看着老大的脸已经红到了耳根子，我和肖斯文不禁哑然失笑。肖斯文说八一路那边有几家不错，一到地方还真的不错，那里的厅全是用劳士莱斯之类的名车来命名的，有几分搞笑的意味，二楼走廊左侧一排 K 房，粉红的灯光暧昧得让人难受，直到进了包房，紫色的灯光才多少让人有些安慰。我和肖斯文稍后进去，他们三人已早早地打开了蛋糕，甚至连二十二根蜡烛都插好了。肖斯文一脸幸福说自己都二十二岁啦，转眼已经可以结婚了，老大说是啊，学校不是规定了可以校内结婚的么。肖斯文则一把搂住张艳说那我们结婚吧，毕业前生个小宝宝，却被张艳揪住耳朵说不要以为生日我就准你瞎说。肖斯文连连讨饶才避免一场皮肉之苦。

大家吹完蜡烛切完蛋糕，卫婕虽然不是最大的，却摆出一副大姐姐的架势，说大家唱歌吧。她见大家都不活跃，就点了一首王菲的《Eye On Me》。这首歌是"最终幻想八"的主题曲，高中时代那几个不务正业的家伙总是喜欢在 PS 室里胡混，当其他人玩着格斗游戏的时候，我却把"最终幻想八"打穿了一遍又一遍，卫婕的声音和她的人一样美，让我想到了利诺雅，她和那个女主角一样对任何事情都无比坚定，而我却不能像斯考尔那样做起一个真正的男主角。她唱完了麦克风被张艳抢去了，而老大却一个人吃着蛋糕，他吃东西的姿势并不像平时那样狼吞虎咽，而是静静地一点点尝，肖斯文说出去拿几瓶啤酒和饮料好了。张艳说你还喝啊，说着准备又去揪肖斯文，肖斯文说今天我们几个大男人高兴一下，这个没必要管吧，又是几句甜得发腻的话把张艳说得一愣一愣，张艳云里雾里只能应允。几瓶啤酒下肚，小小的包房里飘扬起了一阵阵高低不一、五音不全的歌声。

肖斯文说要小便，问我去不去，我说你撒尿也要跟我一起去啊，他说那也是，我自己去了，嘴里咕哝着说今天怎么感到不对劲。我没理他，抓起一粒多味蚕豆含进嘴里，喝了口酒。

　　外面却忽然响起了一声叫骂，再就是人追逐的声音。肖斯文在喊我的名字，我和老大连忙探出头去看。一个高大的男人追着肖斯文过来，肖斯文从走廊的一头跑过来，衣服被撕掉了好大一块，一脸惊恐。老大朝前一站，把肖斯文掖在身后，问那个男人什么事。

　　那男人一愣，说关你什么事，这小王八蛋犯贱，老子说了见他一次打一次，你少站在这里装逼。虽然那男人高大，但是比起老大还是矮了一点，说话嚣张，却还没动手。仔细看这个男人，一头寸板，一副平光眼镜，身穿黑衬衣，像个黑社会。而且肌肉白皙圆润，很有看相。肖斯文趁着这个当儿叫两个女生先回去，这里事情麻烦，回头再跟你们讲。卫婕显得比较懂事，拉着不肯走的张艳一起低着头下楼去了，男人猥亵地笑了一笑，继续恢复到原先的表情。

　　这个细节我当时没有注意，到后来当我明白了是怎么一回事，我才感觉这世界实在太小，听医院里的同学说，他住院的那几个月，疼得受不了的时候，总是嘴里骂着小王八蛋，估计指的不是老大就是肖斯文。

　　那男人看起来不大想打架，要老大走开，他跟肖斯文有事谈谈。老大伸手一拦，叫肖斯文去结账，有事以后再说。我也跟着说你什么意思。听着有人吵架，那个男人同包房的几个家伙也出来了，那男人一看急了，不想在朋友面前丢人，一把推开老大，要把肖斯文拽回来，老大喝了些酒，也急了，一把拽住那男人，大概是用力过猛，眼镜落在地上摔了个粉碎。

　　那男人瞪着老大，老大也不示弱，两边的空气好像凝固了一般，但是显然，老大是占着上锋的，一米九的个头让那

91

个男人必须仰视，九十公斤的体重再加上喝过酒以后的狠劲，让他和周围那几个刚才虎视眈眈的同伴目光中也多出了几分畏惧。

"我们走！"那男人恶毒地瞥了一眼我们三个，从地上拾起眼镜，转身和那几个同伴回了自己包房。

后来在虎泉跟肖斯文喝酒的时候，我又开着玩笑把这件事扯出来，他却很淡淡地说，还好有老大在，否则我和你估计得爬着回去了。我说其实也没什么，就是让卫婕她们担心不大好，然后说那男人也的确是个脓包，就知道欺负你这样的，老大一来还不是屁都不敢放一个。肖斯文则说，哪里有你想的这么简单。

"记得，人总在威胁自己利益的时候下手，傻逼才爱面子。"我记得肖斯文抿了一口酒这样说。

15 我未成名君未嫁，可怜俱是不如人

我们在冷战完了以后就立刻结账走人了，这是肖斯文的主意，为的是害怕夜长梦多，这样看起来他的确江湖经验丰富。一个月后我班里的同学一起出来唱K，老板一眼就认出了我，连连说我运气好，那次你们刚走就来了十几号人问你在哪里，如果不走，你和那几个兄弟估计都得完蛋。

生日的聚会就因为这次变故不欢而散。回家时我睡不着，卫婕晚上看我在网上聊天忽然笑起来，她从后面抱着我，把下巴搁在我的肩膀上，脸贴得很近问我，现在跟多少个女生保持暧昧的关系？我说那要看暧昧怎么定义了，按照我自己的定义肯定是只有你一个。我又问她，为什么要选择我，她说因为你太可靠了，我只信得过你。我说那倒也是，除了厚道我确实找不到其他的优点。她说有啊，比方说你天生就有一种能力。我问她我有什么天生神力。她说就从上次邀请我演话剧我就知道，你说的话总让人无法拒绝，我想说如果真是这样就好了，真是这样苏琳就不会跑了。但是想了一想，还是把话收回去了。她见我不语，又开始像以前一样挠我的痒痒。我一把把她掀翻在床上，关上灯，QQ依旧闪个不停。

　　眼看 12 月了，由于要备考，自习室的人多起来，校园里的小路上却冷清了好多。我跟卫婕说去找老大拿讲义，还要问他些问题，如果寝室关门了，晚上就在寝室和肖斯文挤了，她还是那些话，什么路上小心之类的。

　　她现在唠唠叨叨比原来更多了，类似夫妻的生活开始磨灭她原有的妩媚，尽管她还是那样美，但是却渐渐失去了属于她这个年龄的纯净，她开始为一些柴米油盐的事情喋喋不休，我有几次听不得唠叨跟她吵起来，却也是床头吵架床尾和，这种谁也离不开谁的日子，吵架成了一件微不足道的事情，我一直是这样认为的。

　　这种日子让人幸福得麻醉，以至于让人容易遗忘，但是遗忘不等于再也不会被唤醒，我那时很明白这一点，只是想不到这一切会来得这样快。

　　寝室里肖斯文也在复习，这让我很惊讶，一问才知道是张艳逼的，我笑他现在怎么这么怕老婆了，他说没办法，现在也不能像原来那样了。我问他苏琳的事情，他说苏琳现在回来了，张艳说苏琳一直很郁闷，每天除了给杨风打电话跟谁也不说话。我说她提到我没有，肖斯文摇摇头，说张艳只要一提到你，她就哭了，所以提都不敢提。我又问我跟卫婕的事情苏琳知道了没有，肖斯文说，提都不敢提你，你现在是死是活恐怕她都不知道了。我说你这孽畜就不能说几句吉利点的话，又不是不知道我兄弟刚死。肖斯文还没来得及说话老大就下自习回来了，一见是我二话不说抽出几个磨得破破烂烂的笔记本，说就知道你这小子是来要讲义的，我全给你准备好了，重点也圈好了，拿回去复印一下记得还给我就

行了。

本来以为老大会唠叨很多，今天想不到这么麻利，我也不用挤在寝室了。路过学院路，两边的冷风吹来令我不禁打了一个寒颤，昏暗的路灯，把两边的树林照得有些鬼魅。我想着与苏琳在这条路上漫步的日子，回忆又开始把心割得生痛，我想抬眼望天，却看到了苏琳。

她穿着羽绒服，还是去年那件，白色的，一点也不显得臃肿，我震了一下，她竟然还和原来一样，去年的这个时候，我还和她在这条路上徜徉，我看着她，回想一年前的这条路，忽然感到害怕，难道今天就真的要形同陌路了吗？

苏琳也看到了我，互相笑了笑，她很不好意思地跟我寒暄，说自习完了，要回寝室。我也很淡地说我到处逛逛，今天真巧，碰到了你。

她说是啊，现在还好吗。我说很好，就是天气冷了点，有点感冒。她说我还好，你得注意一下身体了，我说谢谢。她转身要走，说寝室快关门了，我说不用这么着急，陪我聊聊天吧。她点头说哦。我跟她不咸不淡地问一些问题，仿佛根本不是为了交谈，只是为了感受一下和她在一起的感觉，仅此而已。但是接着感觉就变了，她问我等下去哪里，我说回家，她很奇怪这个"家"，问我跟谁一起住，我说我一个人住，她却说希望我能找到人陪。我说你现在也没人陪？她说一个人不是很好吗。我问杨风在哪里，她说杨风没回来。又问我怎么要问杨风。我觉得有些生气，我说为什么不能问，你不是跟他在一起了么。她说你别这样说，我跟他没什么的。想到那个她和杨风在北京街头狂吻的片段，我真的有点火了，我说我原来跟你在一起的时候你不是这样的，你从来不对我说谎，但是你今天为什么要骗我，为什么要把我当傻瓜。我的声音很大，这时下自习的人很多，有几双诧异的目光投过来，她说你不要这样，我们到一个人少的地方来说好不好。她拉我在小树林里走，直到听不到嘈杂的人声为止。

她的声音缓和了很多，说我们现在都没在一起了，你还管我这么多干什么。我有些痛，虽然事实已经宣告，但是最后的判决却是在这一刻下来的。

我说为什么不管啊，你还记得我们在一起的时候吗，你说过我们不分开的，你跟我赌气，说都不说一声就去了北京，我不怪你，但是你为什么要跟他在一起。她说那是你逼的，你一点余地也不留，还是那么任性，我真的已经没有工夫来帮你了，我也是人啊，我也要我的生活，你为什么老是不能理解呢。

我急了，我说我理解什么，理解你把我蒙在鼓里，理解你想出国想疯了，理解我日夜想你你却要跟另一个男生在一起，理解这两年多的感情像一坨屎一样，说完了就完了？我紧紧盯着她的眼睛，我已经没有去想如何挽回了，只有发泄，发泄这么长时间的不满。她却把头转到一边，冷笑着对我说，你还是没变，还是这个样子，总是只想你自己，从来就没想过别人的感受，你什么时候才能做一回真正的男子汉，为我想想。

她说得很激动，我谈不上愤怒，因为她说的都是真的，而正因为是真的，我才会歇斯底里。我开始朝她咆哮，语无伦次，我说你到底想怎么样，我们原来不是好好的吗，到底谁教你的这些鬼东西，出国？我长长地出了口气，连着喃喃

了几遍出国这个字眼，两只手狠狠地掰过她的肩膀，要她看着我，她还是把脸朝向另外一边，根本不理我。

我摇她的肩膀要她说话，她好长时间才说，现在时间差不多了，我要回寝室了，以后也别来找我，我们现在连普通朋友都不是了。她想挣脱我的手，却挣脱不开，她说你放手，不放手我就喊救命了。

我说你喊啊，你还当我是什么，我的脸开始朝她靠得很近。她用那种很冷的眼神看着我，甚至带着鄙夷。这种眼神激怒了我，我一把把她拽到身前，她反抗着，想推开我，却推不开，我开始撕扯她的衣服，结实的拉链被扯开，她却不再反抗了，而是靠在树上，只是哭，望着我哭，这种眼神开始让我害怕，我开始清醒。我被她的眼睛里的泪水震慑着，月光照着她凌乱的衣衫和裸露出来的白皙的皮肤，我转过身去，尖哮着，跌跌撞撞跑出树林，漫无目的地在无人的校园里狂乱地奔跑，树林中仿佛每棵树都长了眼睛，好像每个黑暗的角落里都有一只眼睛窥探着我。

我奔跑着，在一片草地上被一块石头绊倒，才真的停下来。爬起来时，才发现我面前是老校长的半身像，大理石底座上，深邃的目光慈祥地望着这个世界，那眼神仿佛如他还在世时那样，慈爱，宽容。想着刚才那荒唐的一幕，不知不觉，几滴眼泪落了下来。想着我曾经最爱的苏琳，想着我刚才差点成了强奸犯。我再也无力挽回，望着满天的星空，靠着老校长雕像的大理石底座，我大哭起来，很奇怪，那一夜我并不冷。

97

16　一地鸡毛

那个荒唐的晚上，一直在我心中挥之不去，一直到 2004 年毕业的时候，苏琳才告诉我，她后来所以不反抗是因为心里有这样一个念头，如果那天晚上我占有了她，她就会死心塌地地跟着我。我问她为什么，她说不为什么，反正就是这样一个念头。她又问我后不后悔。我却笑了，说后悔什么，我又不是哥萨克骑兵，可以光着身子在冰天雪地里干，再说了，就算可以，我难道要你光着身子走回寝室才好吗。她却笑了，说我虽然下流，但好歹还有几分人性。不过那都是后话了，2002 年年底的那个夜里，我一回去就没给卫婕好脸色看，事后想起来才觉得自己应该得报应。

卫婕没问我昨天晚上去哪里了，她的脸色很难看，我的心情本来就不大好，所以也没有好脸色，我说我还想睡一会，卫婕什么也没说，一个人走到窗台发呆，我忽然觉得有些奇怪，问她怎么了，她不说，我又问你到底怎么了，今天回来变得怪怪的，卫婕却兀自站在那里抽噎起来，说没事，我问她到底什么事，她还是不说，哭得更厉害了。我本来心情就不大好，这样一来二去，实在不耐烦了，顺手把杯子朝地上一摔，摔了个粉碎，说你他妈到底怎么了，跟个婆娘一

样，放个屁好不啊。她幽怨地看着我，却一下哭得更厉害了，我也没心情管她，脸一转兀自睡去了。

我醒来卫婕没有说什么，她默默地准备好了午餐等我起来吃，午餐有些凉了，她说去热一下，我没理她，自己吃自己的。她开始问我怎么了，我说没怎么，我也大姨妈来了行不行，吃完了碗筷一丢，她问我干什么，我说不干什么，去自习行不行。

我怕再见到苏琳，复印完讲义，回寝室老大不在，把讲义放在老大桌上，打算去自习室。还没说话，肖斯文就一下点到我的命门，问我是不是做了什么亏心事。我脸立刻一红，说没有，肖斯文一脸羽扇纶巾地笑道，你呀，平时一来就跟我穷撇，今天急着想走，说明有心事吧。我说哪里哪里，你就喜欢瞎想，甚至没叫他孽畜。他说其实做了也没什么，男人嘛，敢作敢当知道什么意思吗？我说不知道。他说那意思就是说，出来混，迟早是要还的，什么事做了，就别后悔，反正记得还就行了。肖斯文说这话的时候显得很颓唐，好像真的是道出了肺腑。

2004 年，《无间道 2》公映引起轰动，我想起肖斯文也说过这句话，就问他那天怎么要给我说这个，他说他也不知道，于是他又问我，那天我说的经典吧？我说经典个屁，还不如我的大便有头脑呢。他却又摇摇头说，其实除了"禽兽二元论"，我觉得关于"出来混迟早要还"的理论还应该延伸一下。我说你说吧，说得不好我打嘴巴。他说，其实呢，很多时候，没出来混，就已经交了一半的定金了，我连说不懂，他苦笑着说，我就是这样，以后你就知道了，不过也可能一辈子都不知道。

我带着一大堆复印的讲义去水院的自习室里整理，这边的工科学生比起我们这些文科专业的人来说显得勤奋很多，我找了几间自习室才安定下来。我已经一年多没去自习室了，感觉上多少有点陌生。刚刚整理完一半的讲义，我的手机响了。

　　徐琴给我打来电话，说约我明天出来吃饭，这个电话让我多少有些诧异，我说几个月没给我打电话忽然约我出来干什么，她说谁叫你不打给我的。我说我还得回家呢，还要做饭给我女朋友吃，算了吧。她却说明天是她的生日，准备和我一起庆祝，我见推不掉，就说我去请示我那口子吧，明天中午来不了给你电话。她显得有些不高兴，但还是说好。

　　回到家里，卫婕已经睡了，我很奇怪她怎么没去上班。但是我不会问，毕竟问她怎么没去酒吧上班的问题多少对她有些苛刻，她在桌上摆了半个菠萝，还留了张字条，说这是她好不容易才学会削的，晚上回来尝尝，还不忘记画上一个"^_^"的符号，我笑了笑，看了一眼睡着的卫婕，觉得先前有些对不起她，给她掖好被子，自己独自站在窗台边抽起了烟。

　　第二天，我很奇怪卫婕怎么没来接我，然后给卫婕打个电话说中午同学请吃饭不回去了，她这次没有从头问到尾，说你去吧，我自己解决，我忽然觉得不大好，顺路买了几个熟菜回家，随便回了个锅，她忽然伏在我身后，问我今天怎么对她这么好，我说我昨天对不起你，今天怕你生气吃不下饭，她亲了我一口，我笑了，笑得很无奈。

　　我给徐琴打电话，还是约我去她家，我问她怎么不找其他地方，她说武汉没有什么说话的地方，还是家里好。我到

徐琴家的时候她已经准备好了饭菜，她问我怎么来这么晚，我提着蛋糕说是因为路上堵车的缘故。她说你太多心了，何必做这个破费。

我说无所谓，生日嘛，可惜没资本给你做个大的，而且不知道到底插多少蜡烛，所以找蛋糕店拿了整整50根蜡烛，她笑了，说别人肯定以为是给老妈过生日，我说那不要紧，我把剩下的蜡烛留在你这里，来年我过生日的时候别浪费了。

我跟徐琴吃得很融洽，她问我最近几个月在干什么，我说没干什么，还不是上课什么的，无聊死了，我不敢看徐琴的眼睛，所以一直低着头吃，这种感觉就好像在打电话，而不是吃饭。她忽然问我，那天的事是不是还放不下，我说当然，觉得很对不起女朋友，她却忽然问我，现在跟女朋友好吗。我说非常好。她又问我刚才说得这么敷衍，是不是觉得有点厌倦了。这个问题我的确不好回答，还在沉吟间，她的手机响了。

电话不知道谁打来的，她很机械地问候，我没注意，只是吃菜，她说她还在北京，庆祝生日就免了，说着说着门铃响了，她说等一下，就去开门，猫眼里一看，明显吓了她一大跳，还是很无奈地挂上电话开了门。

进来的人差点把我吓了个够呛，这不就是那天在钱柜追着肖斯文打的那个男人吗。他看了我一眼，朝我警告性地皱了一下眉头。徐琴大概看出点什么，连忙解释说，我是她在莫大的远房表弟，我当时在吃饭，没看他们，听着这话我想到肖斯文上次的狼狈经历，我实在不想做第二个被到处追着打的对象，很合作地喊徐琴说，姐，一起来吃饭啦。那男人才放下一脸的狐疑，坐在一起吃饭，他的脸显得有些阴沉，但是还是故意做出那种殷勤的笑，甚至还夸赞我说这个表弟真的不错。我问他怎么称呼，他有些犹豫，还是徐琴先开腔，他姓赵，在华伟上班，以后叫他赵大哥就行了。他很不情愿地点点头，他又问我的情况，徐琴说我姓汪，在莫大上学，他点点头，莫大，不错啊。三人的话并不投机，吃完饭，吹完蜡烛，她很不好意思地说今天下午还要处理一下公司的事情，然后叫赵"大哥"送我回学校。

上了那辆黑色的帕萨特，一路上我从观后镜中看到那张阴沉得如僵尸般的脸，我有些心寒他会忽然从驾驶座上跳起来掐我脖子，他忽然很冷地问我，到底跟那天一起挨打的几个人是什么关系，我说是同学，他冷冷一笑，还真巧到一块去了。我假装天真地问他跟肖斯文怎么了，他说没怎么，这家伙很贱，就得打。说得咬牙切齿，我也不敢多问了，他说要送我回寝室，我想着他知道了寝室在哪里以后肖斯文算是真的没日子过了，就说送我去教室就行了。走的时候他朝我笑了笑，我也笑了笑，两个人什么都没说。

肖斯文问我怎么回来了，我如实的回答把他的尿都差点吓出来，我说你当年到底做了什么，他除了承认当年勾引少妇的故事，没有任何细节，还哀叹了一句这个世界真小。我忽然问他，那个男人不是打泰拳的吗？怎么跑到华伟去上班了。华伟？肖斯文一下愣了。然后埋头整理讲义，什么话也不说。

17 他们都还太年轻 并不懂得爱

　　回家以后看见卫婕买了些水果上来,我问她怎么忽然这么喜欢吃水果,她想了想说最近下了几天雨,水果便宜了,我没当回事,看见厨房还有些菜,继续摆弄开了。这几天和卫婕的关系变得很奇怪,她总是脸色很难看地拒绝我的请求,而我则会一个人躺在一边郁闷。这种夫妻多年之后才会体现出来的矛盾现在却已经在我和卫婕之间凸现出来。我躺在床上望着窗外的星空一脸茫然,再看卫婕。她睡着的脸上却多了几分惊惶,也不知道是不是因为什么。

　　周末徐琴又给我打电话,我还是很顺从地去了,她问我怎么脸色很难看,我说没什么,她又问是不是跟女朋友闹别扭了,我说没有的事,我当然不好意思说是性生活不和谐,但是她却似乎多少看出来了一些,沉默了一会,说吃点东西吧。

　　我笑她这么喜欢吃,怎么不长胖,她说这是秘密。她忽然又提起那天晚上的事情,我说别说了,我害怕死了,想到那个大哥我就寒。她却笑了笑,说他呀,看起来凶,其实还是很关心人的。我一脸茫然点头表示赞同,然后又问她,赵大哥是你什么人,她说,只是个朋友而已,说到这里她坐下来，淡淡地笑道，只是一个普通朋友。

这句话让我奇怪了好久，我问她这话是什么意思，她却开始感叹，对于身边的人都有一种很奇怪的感觉，总是觉得差一些什么，说话都觉得自己谎话比真话多。我说那我呢，她说还好，感觉你的那股小孩子气特别可爱。我说不至于把我当小孩子吧。我也是小孩子啊，她却忽然感叹。

她抓住我的手，问我想不想听她的故事。我说："你讲吧，不过你得回答我几个问题。"我忽然一脸严肃，"第一，你到底有没有男朋友；第二，你到底有多少个像我这样的表弟。"后来徐琴经常回忆起这句话，她说我的孩子气多少还有几分男人样，这点很不错。

面对我男子汉的提问，她当时的回答是这样的，自己没有男朋友，至于像我这样的表弟，其实除了我以外也一个都没有。我没敢太相信，她却说今天不错，不用回去了吧。我笑了笑，没有说什么。

她开始感叹小孩子多好，却没有讲她自己的故事，我问她小孩子到底有什么好，她笑笑说，难道你不明白吗，小孩子是不懂爱的，但是小孩子会长大，终于会学着去爱，最可怕的是，长大了都不懂得爱。我说那你的意思就是说你也没有真正去爱过吗。她点点头，显得有些失落。

我没继续问下去，她问我在学校洗澡方便吗，我说还好，她说那就在这里将就一下吧，不要客气，这里就是你的家。我说我的家不在这里，她说都一样，去洗澡吧，这里还有我表弟的衣服，她补充了一句，是真的表弟。

洗完澡以后，我显得有点猴急，不是那么成熟稳重。算起来和卫婕都有快一个月没有做了，那股欲火曾经燃烧得我

几近疯狂，两人的感觉都非常好，她没有给我那只塑料袋，大概是吃了药，我很奇怪，完事之后，她忽然贴在我背后，这种感觉在卫婕身上找到过，但是她显然不同，这种感觉好像不是她在依附我，而是她的灵魂开始包绕我的全身，她比卫婕更成熟，成熟得让人有着无比的安全感。好像多大的风浪都可以在她的怀抱中得到躲避。"这里以后就是你的家了。"她对我说。我问她那我是你什么。"惟一的最乖的小弟弟。"她还是这样对我说。

第二天早上我不想回家，由于快考试了，课已经停了，我就盘算着回一趟寝室。我想给卫婕打电话，却发现手机电不多，也就此作罢了。到了寝室，肖斯文坐着上网，见我来了，说你还记不记得那个在华伟上班的混蛋，我说当然记得，不至于你还想报仇吧。他摇摇头说，我只是想知道他是谁，起码也不至于被人打了几次还不知道对方是谁吧。

我点头表示同意，他则拉开了话匣子，我这才发现原来肖斯文其实很细心，他说，他仔细盯了那人的车，由车找人，发现这个家伙每天都是将近中午才起床出门——你见过一个管理严格，在业内有"狼群"之称的公司会有如此松散的员工吗？

我摇摇头，继而反问他说这些私生活别人怎么知道，他摆了摆手一副羽扇纶巾的样子说道，还不止这些，老大有健身中心的一个朋友，那个家伙叫赵志刚，虽然学过泰拳，没几天吃不了苦就学不下去了，现在在里面做个兼职的健身教练，就是带着一帮欧巴桑跳操的那种，所以他到底做什么我不知道，我只知道他……肖斯文一脸茫然，找不到词形容他。

我说大概是个混混吧。他点点头说，恩，就是混混，还是那种混女人钱的小白脸混混。肖斯文如释重负，深吸了一口烟，朝天上吐了个烟圈。

　　肖斯文这话让我心中一凛，真不知该如何对徐琴说她的这个普通朋友不过是个底细不明的混混，然后我问肖斯文知道了他是谁准备怎么办，肖斯文笑着摇摇头，办个毛，又不是要杀我，老夫没这么差的运气天天撞到他。

　　这时卫婕给我打电话过来，我到窗台去接，她问我一天跑哪里去了，我说没去哪里，在寝室待着。她说你最近怎么了，老是神神秘秘的不回家，我说我想在学校好好复习，回寝室住几天。

　　回寝室住几天的想法是我临时产生的，也不一定会当真，原因大概是因为在那边时间待长了，很多事情厌倦了吧。但是卫婕似乎不这么想，她开始对我说，为什么最近没有原来那样关心她了，原来两人都好好的，是不是在外面又有了喜欢的人，我说哪里的事啊，你老是怀疑我这怀疑我那的，就没有想过我最讨厌别人瞎猜我什么了，她却说我没有瞎猜，我能感受到，你肯定是这样，然后她说我把什么都给了你，你为什么还不满足。

　　尽管我的确做了对不起她的事情，但是我依然嘴硬，这种做法无非是为了防止她知道了真相想得更多，我甚至开始害怕她做傻事，但是关于那些对不起她的事情，至少当时，我没有一点愧疚。她开始说个没完。我也急了，就说那好，我又有女人了好不好，那我们分手啊，你满意了吧，你还想怎么样。

　　她哭得更厉害了，嘴里含混着不知道说了些什么，我

说我手机没电了，我今天不回来了，你不用等我了。说完就挂掉了。她又打过来，我又继续挂。肖斯文听到我打电话声音有点大，笑着问我是不是跟卫婕闹意见了，我说没什么。忽然我问他你怎么没跟张艳在一起了，他说这有什么，男人总不能一直让女人牵着鼻子吧，算起来这已经是我最长的一次恋爱了，我当然要好好把握主动权。我笑了，说你又露出了禽兽的本质。他说，其实这话应该说你自己。我笑了，其实我们都是贱人。

"是啊，"肖斯文说，"我是皮痒痒，你是贱骨头。"

寝室的电话忽然响了，肖斯文过去接，应该是卫婕打来的，我连忙示意肖斯文不要说我在，但是肖斯文却把我拽到电话跟前，是卫婕打来的，我懒懒地问她到底还有什么话说。她却说你还记不记得原来说过的话，我说说的话多了，你说哪句。她说你答应再也不离开我的。

我忽然一震，我又想到那天卫婕抱着我哭的情景，有一种负罪感忽然在我心头涌起，我不知道那天晚上到底她遇到了什么，但是我从来没有看到一个人这样依偎在我身上，仿佛除了我以外她的世界没有一棵可以倚靠的树，甚至没有一块可以歇脚的石头。我开始想，我是不是很对不起她，即使不谈爱情，一种感恩的情结，也足够让我用心去关心她，而不是像现在这样可有可无地把她丢在一边。

"我马上回来，你等我。"我对她说。然后直接下楼回去了，跟肖斯文连个再见也没说。

18 白桦树头的最后一片叶儿将要被撕去

回到家里，卫婕的眼泪还没有干，我问她到底怎么了，今天忽然这么大脾气，我只是问问，没有责怪的意思，她却又哭起来，说我一直冷落她，根本没想过她的感受，我抱着她，我没有发脾气，只是让她继续挣扎着捶我的肩膀，尽管生痛，却让我感觉到在赎罪。我问她到底怎么了，我说："说吧，说出来会好些，卫婕一向很乖的，不会无缘无故发脾气，一定有什么心事，说出来无论是什么我都不生气，我都不离开你。"

卫婕哇的一声大哭起来，泣不成声，我继续安慰她，说实话这些已经不算是安慰了，至多只是把她抱在怀里，但是安慰她什么，我却一点也不知道。

"我怀上了。"卫婕忽然小声呜咽着对我说。我如五雷轰顶一般，向后退了一步。"怎么可能，怎么会这样。"我一阵茫然，我没有想到会出这样的事，记得以前有个朋友对我说过，学生时代有关爱情最痛苦的事情是打胎，看着一个生命的离去，无论是男人还是女人，只要有爱情就会心疼。

我又想起原来和卫婕的对话，我们以前还想过孩子的名

字，甚至想过以后如何去教育孩子，孩子应该叫汪婕，无论是男是女。他或者她以后都应该是最幸福的孩子，我却无法想像怎么来得这么早，不能不割舍。

我努力地回忆着最近到底是什么出了问题，她每次做过以后都会吃毓婷，而我也很注意这方面，更何况最近一个月根本什么都没发生过。这让我有些紊乱，我好不容易想着对卫婕好一点，让她不再受伤，可是如今，伤害却嗅着我们的气味如影随形，并在这样一个我想寻找机会悔过的时候如期而至。

我不敢说去打胎的事情，但是终究肯定是要去的，只是我怕提出来伤了卫婕的心，我问她到底怎么回事，她不说，反而哭得更厉害了。我说你说吧，说出来就好了。

她忽然抱紧我说，如果说出来，绝对不要离开我，如果你走了，我就什么都没有了。我说我答应过你，不会离开你，无论什么事情都不会离开你。她还是不说，继续嘤嘤地哭。

我说，我永远不离开你，我不会食言的。她说那你这几天为什么离开我，我最需要你的时候为什么不在，为什么不在，她疯了一样捶打我的肩膀，抓住我的肩膀重重地咬下去，的确很疼，仿佛那一次撕咬的是我的灵魂，的确，最近一段时间我辜负了她很多，她似乎要把所有的不满发泄在我身上，我只有承受，这一点痛苦，对于我来说，更是一种解脱的快乐，当然，如果说背叛是一种罪，这根本不足以赎罪。

我耷拉着头等着她松口，说，你咬吧，越深越好，在最开始的时候你舍不得咬我，但是今天，你可以留个最重要的纪念给我，我一辈子，无论走到那里，都不可能忘记你了。她松开口之后，什么也没说，我说，都会过去的，我不会让你一个人承担伤痛。她问我，这是真的吗。我举起三个手指，准备发誓，她却又把我的手拉下来，捂住我的嘴。

"我被人欺负了。"她趴在我怀里，小声说，几乎让人听不见。

"操，"我心中一惊，"是谁，我去找他。"她捂住我的嘴，说算了，我叹了口气，问是什么时候，她说是她摔枕头那天。

那一天，卫婕孤单地守在家里，晚上去上班，酒吧里紫色的忧郁的灯光照着每一颗寂寞的心，伤痛会在那一刻放大，卫婕点了一瓶龙舌兰酒，这是一种来自墨西哥的烈酒，她在烈酒中融化，一个觊觎她很长时间的男人把她抱上了一辆帕萨特，她被放在一张陌生的床上，一切都是那样陌生，像沉在一口巨大的枯井里，找不到一根向上攀爬的绳索。她被占有了，只有无力的反抗，仿佛在梦中，又回到了与我的缠绵。

她叫着我的名字，我却在另一个女人的家里暧昧地叙述着心事。晚上她还是没有醒，另一个秃头的男人在那人撤下来之后急不可耐地跟上，再次进入了她。

她奋力地反抗，呼唤着我的名字。我却在另一个女人的床上，像蛇一样缠绵着。

我鼻子一酸，哭了出来，原来一切的一切都是因为我，我和卫婕相拥而泣，哭得真切。

当我红着眼睛去找肖斯文时，肖斯文的下巴几乎都要掉下来，我说要找他借钱，他问我多少，我说有多少要多少。

他又问我什么事情，我说不想说，他说你不说我怎么借给你，你要是吸粉我可不能害你。我不想跟他绕弯，情急之下，只有说要打胎，他摇了摇头问我怎么这么不小心，我说你别管了，我不想让卫婕受苦，你知道去放心一点的大医院打胎，大概要多少钱？

肖斯文说，那你去亚妇吧，在电视广告里，这个全称为"亚洲妇产科医院"的医院是以治疗不孕不育见长的，专家云集，诊金据说也贵得出奇。肖斯文掏出一张存折说，这里面有 2000 多块，密码是我的生日，你看着取吧，如果还不够就跟我说，没钱千万别急着还。

我很感激地点点头，说声谢谢，肖斯文却朝我胸口敲了一拳："兄弟别这么说，谁没个有难处的时候呢。"

我苦笑一下："狗日的，下次你要打胎的时候，我带利息全还给你。"

"但愿有这个机会吧。"肖斯文叭地吐了个烟圈说。

19 肖斯文

　　亚妇医院是一座七层的建筑，风格很平庸，我带着卫婕来这里的时候，看着这座建筑发呆，纤细造作的风格给人并不持久的感觉。2004 年，这座医院因为涉及医疗事故和虚假广告被查封，轰动了全国。我在广州的电视新闻里除了看到身着制服牛逼闪闪的上级主管人员外，竟然还在镜头扫过那些不知所措的就诊者时意外看到了肖斯文那张茫然的脸。在2003 年年底的时候，他就落魄了，经常没饭吃，但是他再没提那两千块钱的事。毕业前我倾尽所有摔给他二十张百元大钞，砸在他的脸上，几天后他又托人给我带回，还带话说我欠你的一辈子也还不清。

20　不存在的骑士

　　卫婕堕完胎以后，我很踏实地陪了她一段日子，直到等我考完最后一门。这段时间我跟徐琴说要考试了——虽然事实上也的确在考试，她说那好，你就好好复习吧，挂了课就不是好孩子了，又问我什么时候考完，我把卫婕最后一门的时间告诉她，因为我打算一直陪到卫婕考完再回家。

　　那段时间和卫婕的关系似乎又回到了当初在一起的时候，备考也在这样的情况下出奇的顺利，考完最后一门，肖斯文问我考得如何，我随口说还行，事实老大划的要点既准又狠，我怀疑他简直就是所有老师肚子里公共的蛔虫，即使连老师虚晃一枪的地方也被他做上了"假重点"的眉批，所以要混个及格肯定没问题。

　　回到家里，卫婕看我满面春风问我有什么喜事，我说没什么，考试应该全过了，这个学期看起来过得还不错。她却很温柔地亲了我一口，那当然，因为我们在一起啊。后来三天，我一直等卫婕复习，这段日子没有性，却让人又有了一种更新的幸福的感觉，每天我会叮嘱卫婕不要到处走动，原来拿手的川菜口味全部换成了清淡的，为此我专门上网找来了烹饪教材。

最后她走的那天，我送她上火车，一切如我想的那样，她舍不得走，含着泪想留下来，我说这怎么可以，你必须回家，我会早几天等你回来，然后把她几乎推上了火车，我再次回头的时候，火车缓缓地开动，厚厚的窗玻璃反着光，我看不见卫婕的脸。忽然心中多了几分恐惧，一段时间要和卫婕分开了，那段幸福的感觉忽然又只剩下了回忆，我回过头，顿了顿，整理了一下背后的旅行包，准备去附近的傅家坡车站买票回家。

　　徐琴打电话过来问我在干什么，我说我准备回家，她说那先到我家坐坐吧，算是道别，我到时候送你去车站。到了徐琴家，她说忽然有点事情，去打个电话，叫我在书房先上会网，看看书。上网我已经兴趣不大了，我打开书柜，继续翻开那本《我们的祖先》，原先拿到这本书我只是看了看封面，没有去注意内容，但是一翻开书，一张照片却缓缓飘落到了地上。

　　我捡起来，端详着这张两人亲密的照片，一个是徐琴，但显然是好几年前的徐琴了，穿着很朴素，甚至还扎着羊角辫，另一个男人我不认识，面色白皙，不算英俊，眼睛里透着聪明和信心。照片的背景是未名湖，看得出，那时候未名湖的围栏还没有改造成现在的汉白玉，粗糙的水泥台由于湖水的湿气已经变成了暗青色。两人一脸幸福，让我想到了我和卫婕在一起的日子。

　　她打完电话进来，看见我在看着照片发呆，拍拍我的肩膀，把我吓了一大跳。我问她：照片是你的吗？她点点头从我手上接过来插回那本书，然后把书放回书架，表情忽然显得有些黯淡了。

"我们是最好的朋友对不对"，她忽然问我，我点头称是，心里则在想着我哪里知道你怎么想。她叹了口气说，往事提起来太痛了。我说那算了吧，我们说点别的。她却摇摇头，总有一天要告诉你的，我为什么要逃避呢，她喃喃地对自己说。

徐琴一脸的黯淡变成了忧伤：原来我跟他在一起的时候，虽然单纯，但是幸福，比起现在这样的寂寞，我宁愿回到跟他在一起的日子。

我却又想到了苏琳，不禁苦笑，过去是如此美好，而现实总是无比残酷，谁都想回到过去，也试图回到过去，结果却发现自己生活在残酷的回忆中不能自拔。

"那时候，我才大二，很懵懂的时节，我们是在图书馆认识的。""是这本书吗？"我指着书架上那本《我们的祖先》问。"对，就是这本，当时只有《看不见的骑士》，很难找，快暑假了，我想带回家看，但是又不允许，后来，他就用自己的借书证把这本书借下来，然后把书给我。"她在回忆中显得无比幸福："其实在此之前我从来就没有见过他，而且这本书对于我来说也并没有想像的那么重要。"

"后来开学来了以后，我还书的时候，才发现其实他是个很木讷的人，但是我们还是在一起了，那时候真的很幸福，当时还很纯洁，没有想过在外面租房子，接吻或者仅仅是拥抱在一起就感到非常幸福了。"

我问她那后来呢。她停顿了一下，笑了笑："在他那里，我是一个被宠坏的孩子，他的感情像女孩子一样细腻，他处处都让着我，这种生活，直到现在，我都一直怀念着。"

我很奇怪地问她，那后来怎么没有在一起了呢？她好像

115

不想说，只是坐在椅子上一个人发呆。然后说，这里太暗了，很难受，我们去客厅里说吧。

她又端来两杯果汁，自己用麦秆搅动着上面的泡沫，无奈地说："有时候人就是奇怪，越是幸福越是想逃。"那你逃到哪里去了。我问她，她也不说，只是一个人喃喃的，在那里沉思，然后说，总之我们后来分了，毕业后他去了深圳，而我就留在武汉了。我哦了一声，说那以后你们还在联系吗？她摇摇头，说后来他托人来问我，都被我打发走了。他也几次来找我，我都没有去见他，后来他就再也没打听过我，也没有回过武汉。

徐琴笑了笑，笑得有些沧桑：那时候我说十年后见面，他还真不会想到我这么铁石心肠，这几年都不理他。我说那也不至于打电话都不接吧。

大概是因为怕勾起回忆吧，徐琴淡淡地说："但是回忆哪里躲得掉呢？"

21 我们是亲人

　　我一直不明白徐琴为什么要在回家前给我讲她过去的事情，这好像是她惟一一次给我讲她自己的故事，是第一次，也是最后一次，虽然含混，但是看得出她好像松了一口气。她送我去车站，下车的时候她问我什么时候回武汉，我说过完年吧，十五以后开学，待在家里不会太长时间。她笑着说，来了记得给我报到，还用指头点了一下我的鼻子，叫我到了武汉不许到处乱跑。我点头应允，人潮中，她的车缓缓开出，我看了一眼，摇摇头，上站台买票去了。

　　车站的人很挤，毕竟是春运，所有的人都大包小包赶着回家过年，人潮汹涌的车站，从站台高高的台阶向下望，一片花花绿绿缓慢而有节奏地涌动着，像浮满泡沫的大海。

　　我刚买完票，转身去就撞到了肖斯文，肖斯文好半天才反应过来，我奇怪地问他，你爸没派车来接你么？肖斯文怔了一下，很快恢复了刚才有些颓唐的面色说，今年派不出车来，老爸叫我自己坐车回去。车站人很多，不是个说话的地方。两人寒暄了两句就各自散了。我有些奇怪肖斯文那天的异样，事实上从那天起，肖斯文就彻底变了一个人，这种变化突如其来，让所有人都措手不及，他似乎从那以后刻意地把自己的智慧隐藏起来变成了另一种学问，而我们却浑然不知。

晚上回到家里，老爸老妈问我怎么没把媳妇带回来，我说带回来干什么啊，再说根本就只是普通同学而已，顺便到家里来玩玩，有什么大惊小怪的。老妈又照例唠叨了一会，被老爸一声"开饭了"打断，一家人吃着饭，温馨的气氛从小小的饭厅里蔓延开来。

饭后，我忽然想到应该打两个电话，一个问卫婕到了家没有，一个给徐琴报平安。苏琳我也想打，还是罢了。

卫婕的电话打不通，想必已经没电了。我才想起她一定还在车上，列车跨越了富饶的平原，在崇山峻岭间穿行，她没有给我讲过她家里的事情，我甚至不知道她什么时候回到家。想到这里我无奈地挂上电话，然后给徐琴打了一个。

徐琴很快就接了，我问她在哪里，她说跟几个朋友在一起，我就跟她寒暄了几句，准备挂电话，她却忽然问我，有没有把女孩子带到家里去过，真不明白她怎么会忽然问这样的话，我随口说，当然有啊，原来初中的时候好多女孩子到了周末都在我家聚会呢。她淡淡地笑了，说我果然从小就是个坏蛋。我笑了笑，说那是因为我可爱啊，是个可爱的坏蛋。两人又长长短短扯了两句，挂掉了电话。我深吸了一口气，开始觉得无聊。

寒假过得非常快，每天无聊的时候就躺在床上，写点东西，那时候我不知道我到底想着什么？苏琳？卫婕？还是徐琴？老大那次做孤胆英雄我和肖斯文还没谢谢他，肖斯文的睿智总让我有些嫉妒，张艳小妹一般的可爱又令我忍俊不禁。在学校的时候，难免有时会想家，无论是和卫婕的家还

是和父母的家；但是回到家里，学校的一切却又历历在目，奇怪的是，惟独没有去想和卫婕在一起的那个家。

我忽然有一次问老爸，为什么一直都让着老妈，老爸没正面回答，只说如果某天当你遇到喜欢的女孩子也会跟老爸这样的，我却忽然想起苏琳，不禁一身冷汗。然后问老爸，如果真的喜欢一个女孩子，出了很严重，很严重的误会怎么办。老爸一脸揶揄地看着我，然后沉吟道，那就看多大的误会了，当年我追你妈的时候……老爸把声音压低，却被收衣服回来的老妈打住了，说当年那事你还好意思提，别把儿子教坏了。

老爸急忙会意，然后直接进入正题说，再大的误会，只要找到一个机会，诚心地道歉，然后用自己的行动感化她，什么事情女孩子都会原谅的。我好像取到了真经，说是不是啊，如果非常非常严重呢。老爸却大手一挥，放心，你老爸我说的绝对没错。

后来我在想，苏琳这事真不知道找个什么机会道歉好，就算接受道歉了，她也已经有了杨风，我德智体美劳各方面都跟他没得比，我笑了笑，心想如今老爸的话也不能全信了。

年过完了，初四我就嚷嚷着要回学校，老妈急了，说这么早去干什么，一副要教训人的样子，老爸却在一旁劝，说年轻人在家里安逸习惯了以后怎么奋斗啊。几句话把老妈劝得一愣一愣，老妈只得放行。老爸却贴着我的耳朵小声说，你妈是刀子嘴，豆腐心，其实她现在可想孙子了。我被这个老顽童爸爸给折服了，笑了笑，开始收拾东西。初五我就踏上了去武汉的大巴。

119

我回到和卫婕那个久违的家，卫婕还没来，我扫完房间就给徐琴打了个电话。徐琴接电话的时候显得无精打采，我给她客套着拜了个年，顺便告诉她我回武汉了，她显得有些兴奋，叫我到她家去。我说不大方便吧，大过年的。她说不要紧，家里就她一个人。

　　过年的的士特别不好打，公汽也少了很多，武汉人有着重家庭的传统，我花了很大工夫才拦到一辆车。到了徐琴家里，果然只有她一个人。窗外冷清的街道与各家各户过年时的欢声笑语在一起共同敲打着客厅里的落地玻璃窗，屋子里多少显得有些悲凉。我一见她，很奇怪地问，为什么没有和家人一起过年，她淡淡地说父母都远在芬兰，不想让父母这么大年纪还万里迢迢跑回来，我说那也是，但是大过年的，也该去朋友家里热闹一下吧。她示意我别说了，停顿了一下说："我没有朋友的。"

　　我有些奇怪，说那我算不算。她想了想，没有回答，只是吩咐我坐下，这次她问我想吃点什么，我说不用了，她却说不要客气，"今天你就陪我过年吧，这顿饭算是年夜饭好了，我来做饭，你是客人"。我看着她落寞的眼神点点头，她的眼睛里似乎带着一种常人无法理解的酸楚，而这种酸楚在她的眸子里却更多地被华丽所掩盖。

　　我甚至有些可怜她，在这样一个万家灯火的日子，却只能和一个我这样的逃避喧嚣的人一起吃一顿寂寞的晚餐。几年后肖斯文给我拜年，问我周围怎么这么安静，我说我一个人过年，他说他也一个人，他的语气里充满了悲凉，报应，都是报应，就这样喃喃着，像疯了一样，一直等到我把电话挂掉。

　　她把菜都端上了餐桌，才喊我进来吃饭，饭菜并不丰盛，她很抱歉地说最近几天不太想出去。所以菜没原来新鲜了。我说无所谓，你怎么忽然这么客气了。她说没什么，一个人闷了好几天了，我问她就没有朋友来拜访么？她笑了，说，最近想安静几天，所以除了你的电话，我全部都转接到了移动秘书，现在短信都删了好几次了。我笑了笑，连称这招够阴的。她笑了，说，这几天真难受，又想找人陪，又不想随便找个人陪。

　　我笑问，是特意来找我来的吗？她点点头。我望着她的眼睛，停顿了一下，也点点头。

　　吃完饭，我说我要走了，她忽然问我，你女朋友来了吗？我说没有，问这个干什么？她却忽然牵住我的手说没什么，今天晚上就在这里睡吧。她的手握得很紧，直到现在我还记得她的目光，我见苏琳最后一面的时候她也是这种目光，两次都是离别，不同的是这一次，我没有真的离开。

　　我想了想，我问她，能不能给个理由让我说服自己，她说没有，寂寞算不算理由。我有点无奈，说这也可以？她开始在我脖子上亲吻，一切突如其来让我有些手足无措，我把包一把丢在地上，两人在空荡荡的客厅里热吻，窗外的灯火依旧辉煌，欢乐的笑声从四处传来。她去拉上窗帘，外面的一切好像根本就没有存在过。

　　今天是大年初五，明天是大年初六，卫婕至少还有十天才会回来，我盘算着。

22 除了诱惑，我可以抗拒一切

徐琴的皮肤和身材显然经过了那种完全不计成本的保养，但是时间还是毫不留情地给了她的皮肤以微小的褶皱，那几近完美的曲线也有了不经意的赘肉，乳房则有点下垂的趋势。而卫婕那天赐的青春给予她的凝脂般柔滑的皮肤，坚挺的乳房，白色的皮肤间透出的是青色的血管，相比之下，徐琴的身体是另一种味道。自那一夜起，我却对她忽然有了某种特别意义上的迷恋，就好像是来自她皮肤以下的，某种拥有着魔力的香味让我无法自拔。

第二天早上，我忽然提到了过年，我说给几个朋友还没拜年呢，她点点头说，你跟我不一样，你去打电话拜年吧。我第一个想到肖斯文，给他家里打电话，却没人接，我很奇怪，但是想想应该是全家都出去拜年了，正要挂电话，想到给他手机打一个，居然通了，于是寒暄了几句。我很奇怪地问他怎么家里没人，他淡淡地说父母都到外地去过年了，我又问他在哪里，他顿了一下，接着说他还在武汉，然后问我，打给我的座机是武汉的号码，怎么这么早就来武汉了？我说不想在家里多待。他说是啊，不知怎么就哀叹了几句。我见话不投机，随口附和了几句他的牢骚，把电话挂了。

那几天我都住在徐琴家里，和她一起逛超市，我本意想买些原材料回来加工，她却说不习惯那种到处是油烟的感觉，我只得作罢。这种生活让草根出生的我并不太习惯，尽管这几天，我们渐渐熟悉了对方的身体，她的身体每天都会带给我快乐，但是除了这种快乐，我似乎也找不到其他的快乐了。

有一天我问徐琴，为什么要这样和我在一起，她笑了笑，你会明白的，因为你不是我，你不会明白生活在虚伪中是一种怎样的痛苦。我耸耸肩问她，你怎么知道我比较真实。她却像个小姑娘一样笑了，说看你这样傻，我的直觉就告诉我，你不会骗我。

这番话让我很是羞愧，那段时间我有时候会在洗手间对着镜子发呆，换着各种表情来找自己到底哪里显得比较傻，比较单纯，甚至比较真实。但是很可惜，这些努力都一无所获，事实上我还是那个在大学里无所事事，同时和两个女性发生关系，并且还强行猥亵第三个女生的混蛋。甚至有时候让我觉得自己连肖斯文都不如。而如果在一年前，把自己的道德水平跟肖斯文放在一起对比，我会觉得是对我人格的侮辱。

当我想到肖斯文的时候我又给他打电话，想起了张艳，问他跟张艳怎么样了，他漫不经心地说，还不就是老样子。我说你不会又做了什么禽兽的事情吧。他说哪里啊，现在没心情了，等下有点事情要去处理，于是匆匆挂了电话，让我很是扫兴。

后来听说那段时间肖斯文和张艳关系并不融洽，有一次当着众人的面，张艳还给过肖斯文一巴掌，然而肖斯文不仅不恼，反而追着张艳，一路解释，几乎要在众目睽睽之下给张艳下跪。肖斯文虽然会哄女人，不过我却不敢想像他居然会低三下四到这样的地步。回到武汉以后，我看见肖斯文和张艳偶尔还会卿卿我我，尽管多少感觉有些不对，但是却也没再听说肖斯文做过这么低三下四的事情了。

关于这件事，when，what，how，where 我都不清楚，完全不符合一个新闻的五要素，所以是个失败的新闻，而这个失败的新闻也只是和老大通电话的时候偶尔提起的，所以我并没当回事。那次电话里，即将要做乘龙快婿的老大问我要怎么才能处理好和女孩子的关系，我说你问肖斯文不就得了，他的语气里却充满了揶揄，他这小子不老实，我要那种很真实很长久的，只有找你问了。我又问老大你怎么知道我是老实人。老大一时语塞，只好说，看你的样子就像嘛。我说我们都在一起四年了我什么德行你还不知道吗？你这不是存心恶心我。老大说那也不是，起码看到过你动了真感情，肖斯文这小子就没有。我笑了，说你也真是不简单，跟我们这几个混蛋在一起居然没变成混蛋。老大在电话那头憨憨地笑了，说我现在不是在学吗。

转眼到了初十了，外面的人又多了起来，拜年的人少了，大概都是在家里吃喝多了，要出来活动活动了。我和徐琴却照旧去逛超市，超市的人比往常多了许多，超市的一楼柜台是卖保健品和药材的，我们刚进去就看到肖斯文了。

本来以为肖斯文会大吃一惊，想不到看到他时，我倒真的大吃了一惊，他显得很苍白，是那种无论走到哪里都麻木的表情，脸色有些白得吓人，显得最近好像经历了什么事情，他手里提着一大包礼物准备从超市出来，看见我和徐

琴，只是一凛，给我点了个头，埋着头准备要走，却被我拉住了，我问他出了什么事，他说有急事，晚上我喊你出来说，说完头也不回就走了。

徐琴先是一脸惊异，又在旁边笑了笑，问我怎么认识他，我说这是我同寝室的兄弟啊。她说你的朋友还都很有意思的。我说他原来不是这样的，最近变得怪怪的，也不知道在搞什么。她说那就别管了，他不愿意说的事情关心了也是白关心。

买完东西回家，徐琴问我是不是快开学了。我说是啊，她显得有些失望，问我回学校以后有什么打算，我说还不是认真学习之类的，现在这么多专业课，如果再有重修恐怕就得累死了。她却忽然显得很认真地问我，那女朋友呢？

我一怔，这个问题的确很严重，卫婕总是对我很好，我没有理由离开她，我也很难想像其他人会怎么看我。

"操，可不可以先不谈这个问题。"我拍了拍她的屁股。

125

23 不见世间豪杰墓　无花无酒锄作田

那天晚上肖斯文没给我打电话，我也没多理会这事，生活依旧过得很随意，转眼十五就到了，我这才意识到现在已经是 2003 年了。这一年里发生了很多事情，让我无法细数，后来在网上闲逛，看见肖斯文的 ID 在学校的 BBS 里发了一篇叫《2003 年开始，我的忏悔录》的散文，真不明白这小子为什么到 2003 年才忏悔，不过说实话也的确是从 2003 年以后他开始走了下坡路，人也变了很多，所以我开始觉得我应该好好回忆一下 2003 年。

2003 年 2 月 5 日开学，我 4 号就回学校，走之前徐琴问我什么时候回，我说不知道，她显得有些失望，但是并没有我想像的那样会极力挽留，而是说公司的事情开年了会很忙，等闲下来了会经常来找我，手机换号了记得通知她之类的。她继续问需不需要送，我说不用了，让同学看到不好。她笑着点点头，说你走吧，你女朋友一定很想你了。

卫婕问我把行李放在家里人去哪里了？我说在亲戚家住了几天，她也没多问，忙着打扫房子，她看了一眼墙上的画，擦拭了一下《星空》上的灰尘，然后又看了看她自己的

画像，凝望了许久，把画像取下来，卷起来装进自己的皮箱。然后对我说，想和我一起照一张合影挂在这里。我说好啊，在一起这么久，应该有个永久的纪念了。

第二天开学，人多了起来，晚上点名，我却发现肖斯文没来，觉得有些奇怪，问了一下老大，也说没见过他。成绩下来感觉还不错，老大的讲义帮了大忙，不仅所有的课全过了，而且好几门都在 80 分以上，晚上我要请老大喝酒，老大说算了吧，买几听啤酒和一点花生米之类的，去寝室坐坐吧。

我说那好吧，顺便看能不能等肖斯文回来。我搬了一件罐装的金龙泉上楼，把老大吓了一大跳。老大在地上铺了床毯子，两人席地而坐，喝着酒一脸的郁闷。我问怎么啦，他说没什么，只是觉得肖斯文没回来怪怪的。我说你是不是没女人憋的。老大连声骂我贱人，然后说肖斯文开学点名都不来，这不对劲啊。我问老大，你知不知道肖斯文出什么事了。老大也一脸茫然说，反正一回来就没看到他。

我说肖斯文很早就来了，也不知道他在忙什么。老大忽然从铺着毯子的地上坐起来，望着窗外说，我忽然有种不祥的预感。我说什么预感，老大说，快考试那几天肖斯文就神神秘秘的，什么事情都心不在焉。我说别管了，他很牛逼的，什么事情都摆得平。老大点头称是，继续喝酒。

门忽然开了，本以为老二回来看我们，结果却发现是肖斯文。肖斯文一脸苍白，黑着眼圈，刚进门看见我们居然还打了个哈欠。我问肖斯文最近怎么了，那天怎么没给我打电话，他说临时有事，说着从纸箱里拿出一罐啤酒打开，咕噜咕噜直往肚子里灌。

127

我和老大显得无法理解，老大倒是先发话了，说肖老弟最近怎么了，一副失魂落魄的样子。肖斯文开始说没什么，但是很快，他虚弱的身体开始和啤酒起了反应，打了个嗝，差点吐出来，一个人坐在冰凉的地板上发呆。老大要他坐到毯子上来他也不干，跟他说话他也就一个人喃喃自语。

　　老大站起身走过去，语重心长道，有什么心事就讲出来吧，兄弟几个在，没有什么解决不了的问题。肖斯文直摇头，嘴里喃喃着，哎，无力回天。然后忽然站起来，把我们都吓了一跳，只见他把自己桌上的书全部推到地上。

　　"没有啦，什么都没有啦！"他纵声大哭，我从来就没见过肖斯文哭，更没见过他这么绝望地哭。两人静静地看着他癫狂，不禁也陷入了悲伤。后来我看《活着》，当福贵输掉了徐家最后的院房，他孤独地在雨中无力地挥舞着双手，动作和表情都跟肖斯文一模一样。

　　我回家的时候卫婕问我是不是喝酒了，我说是啊。她端来一杯热水要我喝，我喝了一口，觉得烫，就放下了。卫婕说，好好睡吧，明天找个地方去照相，然后把相片做成大块的拼图挂在墙上。我说拼起来这么麻烦，还不如直接扩印挂起来好了。卫婕坐在我身边，神秘地说，你还记得这个传说吗？

　　"把我们的拼图拼起来，我们就再也不会分开了。"她看着我的眼睛，幸福地笑出了眼泪。

24 SMILING IN SLOW MOTION

开学第二天，我和卫婕都没有课，早上按照计划早早地起床，准备去江汉路。武汉的热干面始终是这样好吃，芝麻酱的香味混合着蛋酒的甜，街边的早点摊里，温暖开始充溢整个城市。

等车的时候，我随手买了张报纸，为的是打发在公交车上漫长的时光。

武汉的报纸无非是这样，除了老太婆摔伤，市民呼唤路灯重现光明之外便是些文化娱乐消息。我在车上匆匆地翻过当天的报纸，卫婕坐在边上，紧紧抱住我的胳膊，和我一起浏览着某某球员泡吧打人之类的八卦，却任由两条重要的新闻从我们眼皮下溜走。

2003 年年初，某个冬意萧然的上午，一份武汉的小报四版登出了一则黑框新闻，某贫困县县官，屁股底下坐着半栋楼，因为经济问题滚鞍落马。那天，我捏着这份报纸，和我的女朋友卫婕穿过武汉最繁华的商业街。那天的事情，成了我后来关于这段感情最美好的记忆。我很清楚地记得，美丽的卫婕扶着我的胳膊，言语不多，只是静静地走着，偶尔转头，和我相视而笑，看着她恬静的微笑，来来往往的人潮仿佛瞬间变得透明。

那天，我们准备去拍摄我们的第一张合影，用它记录我们的爱情。

四个月后，我们的爱情灰飞烟灭。卫婕彻底地离我而去。我在校图书馆的报刊阅览中心重新找到那天的报纸。期刊中心保存的新闻纸已经变得有些发黄了，那些曾经和卫婕一起阅读过的娱乐消息重新出现在了我的眼前，虽然它们无法再与当初的记忆重合，但是一阵痛彻心扉的熟悉和孤独却透过四个月时光，准确地击中了我心底最柔软的忧伤。

2003年5月底那个炎热的中午，在报刊阅览中心里，我孤独地看着周围的同学们，他们都在静静地翻看报纸，表情或严肃，或满足，谁也没有注意到一个可怜的人，正对这四个月前的一份报纸默默地发呆。当初的文字被静静地保存了下来，但是我的胳膊上，却再也没有了卫婕柔软缠绕的手臂。在过去将近一年的时间里，我已经习惯了她的身体，熟悉了她的味道。那段日子，我在宿舍里待着，有很多个夜里，我的睡梦被楼下毕业生哄闹的游行打断，半梦半醒间，伸出胳膊，想搭上那个熟悉得已经忽略掉其美丽的身体，却发现抓了个空，于是猛然惊醒，静静地坐起来，眼泪和冷汗一起在黑暗中滑落。

那些夜里，我在上铺从梦中惊醒，常常看见肖斯文彻夜不眠，趴在窗户边，对着昏黄的路灯吐出一个又一个细长的烟圈，偶尔一回头，艰难地朝我笑笑，扔上来一颗烟。

2003年年初的那一天，我和卫婕顶着凛冽的寒风穿街过巷，走了一天，两人都累了，一进小屋，就紧紧抱在一起。

那个寒冷的夜里，我们在床上接到照相馆的电话，告诉我们相片照得很好，拼图一个星期以后就可以去拿了。当时，冰冷的雪子正在不断地敲打着窗户，我们紧紧地搂抱在一起，心跳得如同初恋一般，我看着卫婕带着甜意睡去的脸，一个人笑了一晚上。

25　赵志刚

　　除了肖斯文老爸倒掉的消息外，那天的报纸上还有一条社会新闻和我有点关系。根据记者的描述，在我和卫婕去汉口的前一天夜里大概十点左右，有一个青年男子正在某工厂内的住宅小区擦皮鞋。突然从僻静处开过来一辆无牌的金杯面包车，一切就像上世纪 90 年代初的港片里那样，车上跳下几名大汉，从后面将擦皮鞋的男子一脚踹翻在地，一个人将他紧紧踩住，另一个掏出江湖上绝迹多年的五联发，顶着受害人的屁股和大腿搂了一火。

　　接下来的一幕却又仿佛回到了宋朝：两名大汉旋即将受害人翻过来，一人掏出一把锋利无比的小号瑞士军刀，在他的额头和脸颊上歪歪扭扭地刻上了字。

　　这条短短的社会新闻不足三百字，在 2003 年年初那个甜蜜的早晨里，匆匆从我眼前溜走。

　　2004 年，是我在莫大的最后岁月，同学们都在为前程而奔忙，我也在北京找了个实习。在出发前，我在徐琴那里看见了完全陌生的赵志刚。当时他已经完全康复并且准备出国了，那也是我最后一次见他。

　　赵志刚在一家茶坊里静静地向我讲述了那件事情的经

过，基本和记者描述得差不多。有一点是记者没有说清楚的，就是那伙人在他脸上刻的什么字。

"贱人"，这是赵志刚告诉我的。

后来我在南方工作了，有一次老大来看我，两人在酒吧说了一夜，就提到了赵志刚。老大在健身中心兼职的朋友告诉他说，赵志刚的事情在很长一段时间内传为笑谈。不过具体的原因却一直没有人搞清楚。有人说他坑光了李秃子的老本，还顺便连老婆一起坑走，李秃子暴怒之下雇了两个人戴上假发墨镜，亲手废了他；有的说他横扫九州，一不小心扫到了南方某老板的二奶；还有的说是他当年教练的老婆跟他放完几炮之后念念不忘，天天闹离婚，教练终于发飙，他老婆在屈打成招之下终于招出了和赵志刚的奸情……总之所有的传说里，祸害的根源还是那根不听话的海绵体。赵志刚为了拯救他的脸蛋和被铁珠打得差点两地分家的宝贝，卖掉了车和房，在三家医院来回倒，如此折腾了大半年，从此一无所有。惟一知道的是他的整形手术做得非常成功，在此之后他原来的朋友没有人能认出他，他也没有再跟任何人联系，简单地说，很长一段时间，根本没有赵志刚这个人，因为谁也不知道他是谁。

但是在当时的那次见面里，赵志刚却什么都没有对我提。只是含混地带过了一切，最终，他很诚挚地盯着我的眼睛说："徐琴是个聪明人，但是，我最对不起的还是卫婕。"

现在想来，那也许算是赵志刚的道歉吧。但是在当时，不知是因为已经和卫婕分手，还是因为害怕赵志刚那双精芒闪耀的眼睛，我竟对他没有一点恨意。

随后的几个月里，我北上实习，然后失败，然后南下。

在这期间，赵志刚彻底从我们的生活里消失，徐琴告诉我说，他是在当年一个相好的款姐帮助下出了国。

在我去广州前，武汉的某个舞厅门口又发生了一起案子。一个姓李的秃头老板搂着小姐从舞厅里出来，打着车正准备离开的时候，突然被边上冒出的一个汉子从车里揪出来。汉子把秃头拖倒在地，然后掏出一把六四手枪，对这秃头的膝盖细心地打完了一个弹夹，枪打得不紧不慢，一直到他离开，周围的人没有一个吭声的。这个案件好像一直没能侦破，受害人秃子老板的膝盖骨被打得粉碎，终身不能下床。

这个案子，我一直不能确定是否和赵志刚有关，甚至连这个受害人是不是我知道的李秃子都不能确定。"生活啊，你只需知道概况，不能深究细节，把一切都看清楚了，活着也挺没劲的"，我到了南方之后，一个同事这样告诉我。

26 无题

    几天后我和卫婕又去了一次江汉路取拼图，取完拼图，回去打开才发现照片真的很完美，两人贴得很近一脸幸福，卫婕催我来拼，这是那种5000片的，据说拼好要一个月时间。我有些无可奈何地拼起来，卫婕倒是像个孩子一样兴致勃勃。

    我的手机响了，我一看是徐琴打来的，有些慌乱，赶忙挂掉。卫婕问我是谁，我说是个很讨厌的老乡。徐琴又打了一次，我犹豫了一下，整理了一下表情跟卫婕说我出去接个电话，还加了一堆这小子真无聊之类的话，卫婕点点头，继续做她的拼图。

    徐琴有些不满地问我怎么要挂掉电话，我说刚才在上课。她也没问什么，我问她有什么事，她说我有点想你了，所以打个电话问问有没有空过来玩。我说，我有点事，不来行不行，她显得有些不满，我怕在电话里吵起来，就说好吧，明天吧，她说，我在教五楼下等你，不见不散。我还没来得及说别的，她就急匆匆把电话挂掉了，很是让人恼火。

    背着卫婕去接这个电话让我觉得对不起她，结果卫婕跟我说话我也心不在焉，她显得有些失望，忽然问我，还记得我跟你讲的故事吗？我问是什么故事，她说，关于爱情有一个传说，把情人的画像做成拼图，如果能成功地拼好，那两人一辈子一定会不离不弃，永远不会跟别人走。我点头称是，然后又嘲笑她怎么相信这种小女生的把戏。但是我心里却翻腾起来。想起这个拼图的诅咒让我有些心虚，我趁卫婕不注意把一块拼图装进兜里，继续装起一副很合作的样子。

　　第二天，拼图才做了一小块，一方面是我的怠工，另一方面也是卫婕的确没有做拼图的天赋。中午徐琴开车来接我，在此之前我一直忐忑不安，生怕卫婕在楼下等的时候撞见了，表姐表妹的把戏已经跟她在一起玩过一次了，两人这么久，我的那点花花肠子她也知道得差不多了，如果撞上了，真不知道会发生什么事情。

　　徐琴很抱歉地告诉我，她来晚了。我说不要紧，心里一面在奇怪今天卫婕为什么没来接我，一面在庆幸没有发生撞车的事故。一路上徐琴的话似乎很多，又问我考试怎么样，都过了吗，一下又问我未名湖怎么变脏了。我忽然问她几天不见怎么变得啰嗦了，她笑笑说大概很久没来学校了，感叹一下而已。

　　徐琴家里还是老样子，她问我这里习惯不习惯，我说还好，怎么忽然要问这个问题。她开始感叹这里一个人住空荡荡的，我心里一凛，然后装作无所谓的样子说，为什么不结婚呢。她笑了，说不要问这个问题好不好。

　　我倒是忽然想追根问底，我原来问你的两个问题你还没好好回答我呢。她问是什么，我又重复了一遍：第一，你到

底有没有男朋友；第二，你到底有多少个像我这样的表弟。当时我问得很严肃，或者说几乎是在质问。这个问题前面问过，被她打哈哈混过去了，大概是因为这个疑惑在心中藏得太久，我终于还是决定要刨根问底，尽管第二个问题她一直没给我答案，但是我还是在第一个答案里，找到了她过去的一切。

她没有显出什么异常，还是像以往一样过来劝我，然后开始亲吻我的脖子，我闭上眼睛深吸了一口气，一把推开她。我几乎一字一句地说道："我不会和一个我不了解的人做爱。"

她被我这样的举动惊呆了，不解地望着我，然后拉着我的手准备说些什么，我默默地拿起她的手，放在一边，自己起身走开，靠着墙边站住了。她兀自坐下，在茶几上用双手托着额头，我面无表情地看着她，也没想去劝。

过了一会她抬起头说，好多事情回忆起来真的好难受，但是你想听我就讲给你听吧。我这才坐下来听她讲故事。

徐琴有点无奈地看着我，说，除了郝方，我不再有过男朋友。

我点点头，看她侧着头，没说话，表情有点哀伤，不知是编瞎话还是郝方给了她太多阴影。又过了一会，她才淡淡地接上："他很能干，在大学里他没有用家里的钱，毕业的时候还攒了将近两万块，我们在一起以后，我完完全全地依赖着他，因为我想做的事情，他却比我知道得更早。"

"他很会哄我开心，和他在一起的日子，我过得像一个公主。"徐琴望着窗外幸福地说。

我点点头示意她继续，心里却想到了苏琳，如果某一

137

天，苏琳跟人像今天徐琴一样提起跟我在一起的日子，不知道她会不会感到幸福，事实证明，若干年后，她居然也和人同样地提起了我，用同样的比喻形容跟我在一起的日子，可惜那时，我已经很久没有见到她了。

我问她："既然这么幸福，那他现在呢？"徐琴无奈地说已经分了。"后来他决定去南方，我要他带我去，他却拒绝了。"徐琴显得有些悲伤，眼睛里有些湿润了："原来所有的事情他都顺着我，却惟独这件事他没有答应，直到他走了以后我才开始感觉到自己一无所有，在他去深圳的前一晚之后，我就再也没有见过他。"

我叹了口气说："现在都还年轻，以后还有机会的。""没有了，再也没有了。"徐琴无助地摇摇头说："他要结婚了。"说完抱住了我，我立刻感觉到背上被她的泪水打湿了。

"别哭了，"我忽然扶住她的肩膀，看着她的眼睛说，"我在这里，我不会让你再难过的。"她却又一次把我抱得更紧了："你不要离开我，你走了我就什么都没有了。"我点点头说，我现在不是在你身边吗。

其实此刻的我，并不像刚才看到的那样正人君子，一段时间与卫婕迫不得已的禁欲让我的欲望几乎燃烧到了极点，我一脸关切，嘴里说着安慰的话，心里却在想着如何扯开她的衣服，把她紧紧地压在沙发上。

与此同时，另一个想扯开她衣服的男人，正在医院里哼哼，他的家产将在未来半年内全部变卖，变得一无所有。

而在早已过去的1999年，那个最后的激情之夜里，真正扯开她衣服的男人现在正在南方的那个城市里，准备着他快节奏的婚礼，不知道生活的压力之下他还有没有当初的喜悦和激情，不知道他在新婚之夜即将来临的时候，是否还记得当初的那晚，那晚的徐琴和他面对面裸身而坐，苍白的面色在长发的遮盖之下，仍然不能融入那黑夜。她抄起他的手，扣在胸前，绝望而无奈地看着他，他歪过头去，声音有些哽咽了，另一只手中的日记本轻轻滑落到地上。

　　自那夜后，徐琴不再留长发。

27 空白的日记本

四年后的今天，短发的徐琴像当初一样无助地倒在我的怀里，我翻开那个空白的本子，纸页已经开始发黄，几行落寞的钢笔字孤零零地伫立其中，心里涌起一丝酸涩：

> 此种孤独不可言说
> 亲爱的
> 执此冰冷之手
> 让我们一起孤立无援
> ······

28 无题

回家的时候，还是和卫婕一起做拼图，她做拼图的时候嘴里总是油盐酱醋啰嗦个不停，有时候说衣服不大满意，有时候又说今天的菜咸了，甚至还会抱怨怎么还不毕业。在我面前像个受气的小媳妇一样。但是想到的确亏欠她很多，也无可奈何，只能憋着脾气听她唠叨，这样的生活一直持续着，尽管都一肚子意见，两人却保持着微妙的平衡，居然一直没有吵起来。

那天我受不了她的唠叨，说去寝室找肖斯文，到学校门口却碰到了杨风，杨风一如在北京看到他时的那副德行，我本来想避开他，他却先发现了我，给我打招呼，我也不好意思回避，只有迎着头皮跟他说，对不起，上次在北京的时候太冲动了。他却一副很宽容的样子说没事，现在已经好了。

我奇怪地问他怎么没有跟苏琳在一起，他却笑了："其实你都误会了，我跟苏琳是不可能的。"他的笑与肖斯文的不同，他似乎无论何时何地都是这样一副笑容，让人觉得呆板，却又不是那么讨厌。"我准备出国了。"他淡淡地说。我苦苦笑了一声，然后点点头，漫不经心地握了一下他的手说了一声"恭喜"。也没问他去哪个国家，什么时候走之类的。

他回了一声"谢谢",两人就此道别。

这次道别以后我就没有见过杨风了,据说他被留学中介骗了两万多块钱之后,没有出成国,最后还是留在了武汉,家里托关系把他弄到银行里谋了份工作。偶尔公派出国学习,足迹也算踏遍了大半个欧洲,多少补偿了一下当年没有出成国的遗憾。

回到寝室才发现只有老大一个人,我问他肖斯文呢,老大摇摇头说他跟张艳闹了别扭,现在去劝张艳了。这段时间我一直都没有肖斯文和张艳的消息,就问老大怎么了,老大一脸无辜地说,这男女朋友之间的事情谁说得清呢,不过话又说回来了,肖斯文最近一下性格变化这么大,不要说女孩子家了,我这做老大的都适应不了。我说那也是,不过还好,变来变去没变回禽兽,我又想起了禽兽肖斯文每每失恋后和我喝酒的情景,不禁哑然失笑。

跟老大继续闲聊一会,见肖斯文还没回来,看看表跟老大说得回去了。老大问我怎么这么早就回去。我也很无奈地说,这也没办法,回去晚了卫婕得唠叨。老大一脸同情地看着我,说你还是走吧,临走还感叹了一句,想不到爱情就已经成了男人的坟墓。

29 无题

　　卫婕的唠叨也并不是彻底的坏事，至少对于她来说多少起了点正面的作用，我看着她那张嘴的面子，工作开始异常的卖力，拼图一时间进展神速，算起来已经拼得初具规模了，她那张幸福的笑脸在一大片不规则的拼图中绽放着，我那半张表情复杂的脸也有了鼻子眼睛。她把墙上的画框挂上去，又取下来，一脸的陶醉，然后告诉我说，拼好了以后就这样一直挂到拍结婚照，我笑着说结婚照难道也要做成拼图吗？她就开始说我乌鸦嘴，然后忽然间感叹说，拼图把人的样子都走了形之类的，把我的玩笑破坏得一塌糊涂。我很无趣地继续埋头做拼图，总算把我自己的两只眼睛彻底拼到了一起，正在这时，肖斯文打电话过来了，约我和卫婕一起去吃饭。

　　肖斯文还是用他最近那种一贯的、半温不火的语气跟我说的，让我觉得很是无趣。我问他怎么忽然想到请吃饭了，他说是为了祝贺他和张艳复合，顺便想想好久没在一起吃饭了，所以就叫出来一起腐败一下。我点点头，说那好吧，明天晚上小乐川门口，不见不散。

　　卫婕问我什么事，我说肖斯文请客，卫婕淡淡地说她不想去，我问为什么，她却说你最好也少跟你这个朋友在一起，我总觉得他好危险。当时我和卫婕已经隐约听说了肖斯文老爸的事情，但是我不明白卫婕在几乎没有接触肖斯文的情况下会这么说。尽管后来事实证明了女人直觉的可靠，但还是显得异常徒劳，毕竟自己做事不能凭别人的直觉，就好像我不能一辈子和卫婕做拼图，也不可能一辈子忍受小媳妇的脾气一样。

当时我长叹了一口气，然后随口说你就别管这么多了，他总不会把我卖了吧。她说反正你小心点就是啦。我无可奈何地摇摇头，无力地说，你不喜欢他明天我就一个人去算了。卫婕也很适时地闭嘴，两人静静地做拼图，再没说一句话。

第二天在小乐川门口，老大、肖斯文还有张艳都早早地到了，我说不好意思迟到了，肖斯文却问我卫婕怎么没来，我说她去接她的同学了，别管她，我们先去吃饭吧。小乐川的地板总是潮潮的，肖斯文差点摔了一跤，却被张艳扶住，人声鼎沸的大厅里，四个人围着火锅，香料的气味在沸腾的汤水里开始弥漫。

这次老大先举杯，说大家好久没聚了，不要这么沉闷，肖斯文跟张艳交换了一下眼神，张艳说，你喝吧，今天大家高兴就好。肖斯文这才站起来一饮而尽。酒过三巡，大家话都多了起来。开始只是谈一些什么学校和实习之类的，后来扯着扯着就扯到了感情上。老大的脸已经红得像个萝卜了，撇开厚厚的双唇，大嘴巴老是关不住话，他忽然说，其实我觉得老四还是跟苏琳配一点，卫婕在外面口碑也不是太好，不是说太高傲就说她不干净，谣言满天飞，再看苏琳，又单

纯又漂亮，特别惹人怜爱，跟老四走在一起看着都舒服。

老大这话本来是得罪人的话，如果不喝酒说出来我八成要跟他吵。不过这次我喝了酒，反而不恼，说实话这话倒说得我有几分舒服，最近一段日子跟卫婕并不开心，时常想起苏琳，但是一想到那段猥亵的情节我就不敢再想了，真不知道再次见到她的时候我是什么心情，我又能跟她说点什么呢。

当然，老大说这番话，我也不适合发表任何意见，所以我只是点点头，举起杯子示意继续喝酒。张艳也陪我们喝了几杯，脸红扑扑的，像个初熟的苹果。而我和肖斯文是喝酒不上脸的那种，所以只有张艳的苹果脸和老大的萝卜脸形成了鲜明的对照。老大还是不闭嘴，说杨风那小子肯定不是个好东西，不是他从中作梗，老四肯定早就跟苏琳在一起了。

张艳毕竟是小女生，听着这话觉得有些不舒服。很不高兴地说，其实你们什么都不知道。我怕气氛紧张，示意大家都别说了，老大住嘴了，只是自己斟了一杯，一口抽掉。

张艳却在这个时候拉开了话匣子，她说杨风跟苏琳真的没什么，杨风如果不出意外可能下半年就要出国去了，我问他去哪个国家，张艳说是去法国，她一脸幸福地说："他真的好幸福，我一辈子都想去法国呢。"

我一脸揶揄地说，你知道吗，这个"法"念错了，不是念三声，是念四声。我搂着老大一副小鸟依人的模样说："大林，我们去法——国吧。"我把第四声的"法"念得很重，结果连肖斯文都笑了起来。

张艳也笑了，说苏琳现在还是一个人，跟她也不经常说话了，倒是现在一个洪都拉斯的留学生追苏琳追得很紧。

张艳只是随便提提，但是我后来却为这事在一张地摊上买的世界地图里，在中美洲花花绿绿的名字中找到了洪都拉斯这四个字，我用红笔画了个圈，用一条直线从特古西加尔巴跨过太平洋穿过珊瑚海，飞越台湾海峡一直画到武汉，疑惑地看了好久。

　　我当时很奇怪地问怎么会跟留学生扯上关系，肖斯文却在一旁开腔了，他刚和张艳复合，大概这个故事还没听说过，他说，苏琳这样也好，跟个外国人在一起，以后要出国什么的容易很多。"金光大道啊！"肖斯文皮笑肉不笑地说，他的话里带了点刺，但是张艳显然没听出来，当时他谁也没看，只是低头喝着酒，一副很漫不经心的样子说。

　　老大一时语塞，话刚到嘴边却又咽了下去，举起杯子又喊干杯。后面谈得就很沉闷了，本来这样下去应该是扯苏琳的问题，但是张艳在这里，扯多了肯定不好。

　　干了这么几杯之后，大家看起来似乎都不行了，肖斯文说，我们走吧，今天就这样了，算是尽兴了，问接下来怎么办，我说好不容易聚集在一起，不大想这么早回去，等下去寝室坐坐吧。肖斯文说那好，你和老大先回去吧，我送完张艳就来寝室找你们。

30 无题

回到寝室以后，老大果然很郁闷地说，原来苏琳是这样的女生。我刚才在吃饭的时候一直没吱声，再加上喝了一点酒，一回到寝室就把刚才憋了一肚子的话全翻出来了，语句间没有任何逻辑联系，总之说得一塌糊涂。

开始是说苏琳这样太让我失望，然后说苏琳想出国也是正常的，谁不向往更美好的生活呢，接着又说，也太无耻了，干脆下次找个非洲食人族的酋长公子好了，最后干脆一屁股蹲地上说，他妈的女人是什么玩意，就知道跟有钱的跑。

其实当时的我很清楚，那时我跟苏琳根本就没关系了，而且她也还没跟那洪都拉斯帅哥在一起，就算已经在一起，我也没资格评头论足，更不要说咬牙切齿了，说白了还是因为对过去念念不忘，可能这就是所谓的犯贱吧。

"真他妈的贱。"我朝地上吐了口唾沫说。老大开始劝着我，但是见我说话越来越不对劲，就开始说，其实我们都还小，里面有什么东西其实我们自己也不知道，还是等肖斯文回来听他分析分析吧。

肖斯文回来的也很是时候，看着他一脸放松的样子就知道是把张艳哄得服服贴贴回来的，老大见肖斯文回来了就招呼起来，老肖啊，你还是给老四分析分析吧，虽然老四是跟卫婕在一起，但是苏琳的问题不解决始终是块心病来着。

肖斯文先丢给我一枝软黄鹤楼，我说火掉在小乐川了，他又把 ZIPPO 丢给我叫我自己点上，然后深吸了一口烟说："哎，汪平，你这样也不行啊。"我说："算了，跟卫婕过一辈子好了，命就是这样了。"肖斯文没发话倒是老大抢过了话茬："什么算了不算了，是不是男人啊，我们兄弟几个看着的，明摆的事情，虽然你跟卫婕在一起，但是你心里还不是一直挂着苏琳，为了她，你都跑了两趟北京了，现在一个洋鬼子来了你就怕了？"我被老大一通口水差点淹死，垂着头不说话。

肖斯文摆手示意老大别说了，他走过来蹲在我旁边摇了摇我的肩膀说："汪平啊，不如这样比较一下就明白了"，他问道："你跟苏琳在一起多久？"我吸了一口气，无力道："一年半吧。"肖斯文又问，那跟卫婕在一起多久。我说半年。

肖斯文就站起来，继续问，你跟苏琳红过几次脸，这个问题问得我有些头疼，因为事实上我跟她就吵过一次架，而就因为这一次吵架，我们才会分手，而且到今天还让我心疼得难受。"一次吧"，过了一会，我非常肯定地说："就一次。"

肖斯文没有停顿继续问道："那跟卫婕红过几次脸呢？"我想了一下，说算不清了。这时肖斯文拍拍我的肩膀说："其实有时候，像这种问题仔细想想就知道了。"这时他忽然显得有些激动了："我不是说要你现在去追苏琳，只是你现

年华若樱

在留着这样一个尾巴你甘心吗？你都跑了两趟北京了，结果还是一无所获，我不知道你去北京到底做了什么，我只知道我几次好心帮你，叫张艳问问苏琳关于你的事，你知道吗，人家一提到你就没好气，你本来跟她在一起很好的，但是你像现在这样是不行的。"肖斯文背着手在寝室里踯躅了一圈："兄弟我也跟你急啊，可你怎么就把事情办成这样了呢？"

听着老大和肖斯文的话很不是滋味，我长长地吐了一口烟道："其实我也不想，每次想说什么，不知道怎么到了那当口就不知道说什么了。"那时候我说话的声音小小的，像个犯了错误的小孩子。

老大大概没见过肖斯文这阵势，也在一边什么话都不说。肖斯文接着又是一副恨铁不成钢的表情说："有什么不好说的，你跟她说，原来都是我不好，我是禽兽，我是王八蛋，我是傻逼，我现在改好不好，我惟一的一次错误你就不能原谅我吗？女人是很脆弱的动物，你只要有着这么一副可怜样，她自然就会原谅你了。"

我说："我都已经承认过错误了，她还是不原谅我，我们之间的事情哪里有这么简单啊，什么事还得从长计议。"肖斯文摇摇头说："你这叫什么？这叫逃避！"然后晃晃脑袋说："这么告诉你吧，这本来是我在张艳那里打听到的，今天我告诉大家，也别出去乱说，你知道那洋鬼子家里是做什么的吗？他是那里一家耐克的 OEM 厂老板的富家公子，大好的机会出国，大把的票子，你有什么？你自己想想。"

"我什么也没有，算了，她跟我也不会幸福的……"我继续无力地说。老大在一旁立刻嚷嚷开了："汪平，你小子真他妈窝囊，他妈的不为你自己长气也为咱们兄弟争口气

149

啊，苏琳这么好的女孩子就这样被洋鬼子抢了，你就眼巴巴看着，你甘心吗你？"

我痛苦地摆头，连声叫老大别说了。肖斯文走过来语重心长道："其实我说这个话不是为了来刺激你，你想想啊，人家这么好的条件，如果是其他女生，估计早就自己贴上去缠着要结婚出国了，她为什么不去，你想过吗？"我说不知道，肖斯文又摇摇头说："杨风说要出国，苏琳也没什么反应，这个我找张艳问了，你想过没有苏琳到底在想什么？"

我一脸痛苦，还是说不知道。

"说明她心里还有你！"肖斯文一字一顿地跟我说。

我好像看到了曙光，无助地望着肖斯文："那我该怎么办？"肖斯文转过身躲过我的目光，背着双手说："你去跟她说清楚，如果还是无力挽回，至少说明你还是努力了，以后也不会后悔，对不对？"他伸出一只手示意握手，我无力地把手伸过去，被他捏得生痛。

我急忙把手缩回来说："这样也还是不行，我一见她就什么话都说不出来了。"我痛苦地摇头，苦恼一直在脑海里蔓延着，其实我也很想好好地跟苏琳说清楚，但是想起这三次与她的会面，我不是因为怯弱就是因为恼羞成怒，结果事情搞得越来越砸，特别是最后一次，更是糟糕得不能再糟糕。真不知道这次去找她到底会出什么事情。但是诚如肖斯文所说，不去找就再也没机会了。我必须去找苏琳说清楚，但是去跟她说往往又会变得更糟。

我站起来，无力地说，几乎快哭出来："我真的做不出选择，都别逼我了好不好。"

肖斯文走过来，还是一脸恨铁不成钢的无奈，看了我半

天，又坐下来，摆出那副成竹在胸的架势。过了一会，他说："他妈的，真让我操心，你不去说是不是？"

我点点头，然后想解释给他听，结果话没说出口就被他打断了，他静静地笑了笑说："那好吧，既然你不肯说，我替你去说。"肖斯文转过身望着窗外，把烟头朝地上一砸："兄弟我就好好帮你一次。"

我无力地说："滚，爱说你去说！"他一脸的成竹在胸："你就放心吧！"然后拍拍我的肩膀笑道，"我们是兄弟嘛。"

我继续抽了两根烟，一边听肖斯文啰嗦，一边揉碎了烟屁股，然后气哼哼地走掉了。

这件事当时就这么敲下来了，2004 年 9 月的时候，绑架吴若甫的一伙绑匪在北京落网，当时我一个人在广州的一间小餐馆里吃着一碗两块钱的素面，电视正播映着犯罪分子被庭审的录像，主犯王立华穿着看守所里橘红色的马甲，偏着脑袋，灯光把他的秃头照得有几分晃眼，光头下眯缝着的眼睛带着几分冷静沉着与成竹在胸的自负，甚至还透出几许不屑与关心，我那时被这个眼神惊醒了，这正是肖斯文跟我说那番话时的表情！

人生总是会因为一个念头，一句话，一个动作而改变，就好像"蝴蝶效应"里所说的那样，蝴蝶的翅膀扇动的气流会变成一场灾难的起源。我时常想当年如果肖斯文不说这句话，我和他的一生又会是一副什么样子。

31 樱花现在就盛开着 明白了自己 瞬间即逝的命运

　　回到家的时候已经很晚了，本来等着卫婕的唠叨，我一进门，她却很开心地告诉我，拼图已经拼成几个大块了。我说那怎么不赶快把它拼好呢。卫婕却很神秘地笑了，她问我原来答应过她什么。我仔细回忆了一下，说不记得了。她要我继续想，我说实在想不起来，她独自走到窗前，夜色把她的脸庞照得雪白，她幸福地说，还记得我们刚认识的时候吗？你答应过我什么。她的电脑放的正是那首森山直太郎的《sakura》，这首歌她好长时间没放了，今天一听才恍然大悟。我说我当然记得，你好久没去学校了，现在樱花已经开了，明天去吧，正是盛开的时候。她居然天真地问是不是真的。我把她揽在怀里，说当然，明天是周末，我们就去看樱花。

　　这几年看的樱花也足够多了，但是正如当初和苏琳在一起的时候所说，重要的不是花，而是和喜欢的人一起看花。我问卫婕在莫大这么长时间怎么还惦记着樱花，她却说，重要的是人，而不是花，这话和一年前苏琳说的一模一样，让我很是不安。不安之余，心底竟然生出一阵失落。看着窗外的星空，一时间又想到了那个数月前在家做的梦，苦笑了

一声。

还没等回忆进入正题，卫婕忽然身体一沉，然后缓缓地蹲下来，捂着肚子。她一脸痛苦，面色苍白，嘴角抽搐着，却一直咬着牙没有叫出来，一摸额头却是滚烫，我问她怎么了，她轻声说没事。我急忙抱起她，想扶她到床上，她却全身无力，汗水在刹那间湿透了全身。我不知所措地扶起她想去医院，她却一下昏厥过去。我知道出了大事，打120，却问了一堆有没有家属之类的废话，我不耐烦地挂掉电话，横着抱起卫婕下了楼。

走到路口想打的去最近的医院，焦急地等了片刻却没发现一辆，一跺脚干脆直接抱着卫婕朝医院跑。

那天的值班医生后来成了我很要好的朋友，2004年6月，快离开武汉的时候，他跟我喝酒时说，那天真是奇迹，一个很文弱的男生居然抱着一个比他还高的女生跑了两站路没歇一口气，最后到急诊室的时候，一下坐在地上半天才恢复过来。然后又问我现在跟那女孩怎么样了，我淡淡地说别提了，他却说你们应该不会分手的，当时你有这么大的动力，感情一定非常深，我说感情不是我抱她跑两站路那几分钟这么简单，时间长了什么都要重新审视。

在2003年的春天，我还没有和他成为朋友，他看完长长的检验单无可奈何地摇摇头，用食指敲了敲桌面，啧了一声，说的第一句话就是："你这个男朋友啊，太不负责了。"我问他怎么回事，他却说拖了这么长时间小病拖成了大病，他又问我是不是去小诊所做的人流，我说是亚妇，他又摇摇头，欲言又止。接着又问我是不是人流以后卫婕有几次腹痛，我这才记得的确有这回事，当时没怎么注意，去小诊所也就是开了点止痛药了事。他很严肃地告诉我，这是人工流产术后感染导致的子宫内膜炎，拖了几个月，已经发展成了腹膜炎。"检查结果没完全下来，如果是败血症就很麻烦了。"他看着我严肃地说。

这么长时间没有留意卫婕的身体状况，想想的确很愧疚，值班医生查房的时候还时常叮嘱我要多陪陪卫婕。我于是请了假专门陪着卫婕，送她来医院的那天晚上就在她旁边的空床上囫囵了半夜，第二天又陪了一天，第三天卫婕的面色恢复了好多，我想哄她开心，她却满面愁容坐在那里一言不发，过了好长时间问我，什么时候出院？我说医生要留院观察几天，要她放心休息，她却后悔起没能跟我一起看樱花。

我不知道怎么劝她，也就在一旁看着杂志，给她讲笑话打发时间，忽然电话响了，我到走廊接电话，才发现是徐琴打来的，她说今天樱花据说不错，又是星期天，一起去看看吧。我说我还要陪朋友呢，徐琴似乎有些生气，问我到底来不来，我顿了一下说好吧，你等我。然后她说学校门口见，不见不散，还没等我说再见就把电话挂了。

卫婕问我什么事，我说辅导员找我呢，卫婕说那你去吧，我这里很好。刚要走，她却拉住我，我问她什么事，她摇着头无力地笑了，叫我记得带一枝樱花回来。我也笑了，说你还真花痴了。她也笑着说，你去吧，别耽误时间。

学校门口，每到这个季节都是人山人海，徐琴看我一脸倦容，问我怎么了，我说还好，女朋友病了，她也没继续问，我那天出门的时候除了银行卡和身份证就什么也没带，正在搜兜的时候她就挥了挥手里的两张票说："进去吧。"

实在想不通我居然有进学校还买门票的时候，自嘲地摇了摇头，然后问徐琴，大学几年天天进进出出的，难道还没看够？她却笑了，说今天是为了找回在大学时的感觉，难道不行吗？我说当然可以，只是我今年看完了，明年这个时候却正是找工作，不知道还有没有机会看樱花了。她说你这么早就开始担心以后的事情了？我说没办法啊，跷了这么多课，还不知道以后能不能拿到学位证，找起工作一定很吃力的。她笑了，说担心了也没用，过好今天就行了，车到山前必有路的。樱花大道上摩肩接踵的人群使整个学校的气氛热闹了许多，两人一路扯着没边的话题，她把我从医院强拉出来的不快也被我抛到了九霄云外。

她说其实来学校最大的好处是有可能碰到旧同学，我说这人海茫茫怎么可能呢。她说有些事情想都想不到就会发生，她朝我笑了笑，忽然停住说，就像我们一样，谁会想到在火车上认识，现在又这样在一起。我也笑了，说那也是，没有什么不可能的事情。

当时徐琴对我笑得很暧昧，本来这种暧昧就已经习惯了，但是那一刻以后却忽然感到陌生了许多，倒不是她在变，我想更多的是我变了一些。

两人刚要走，我停住了，迎面走来的真是我们的辅导员。我们的辅导员是个比我们大不了几岁的博士生，说实话，大概是跷课太多，她没给我多少印象，更多的印象是她点名的确是多了一点。

本来前面跟卫婕胡扯说辅导员找我，想不到真的碰到，是她先发现我，我想躲都躲不掉，只要硬着头皮上去问好，辅导员朝我摇摇头，说不是请假看护朋友吗？怎么跑到这里来了，还有，最近有两次点名没到，时间长了可是影响考核的啊……

我埋着头尽量摆出一副洗耳恭听的样子接受训话，可一下她却沉默下来，我抬头时才发现原来她没有看我，而是看着我身后的徐琴，辅导员扑哧一下笑出声来："徐琴?"她和徐琴两人相视而笑，弄得我一时摸不着头脑。

"我和她大学里是最好的死党了。"徐琴用眼神指了一下辅导员对我说。辅导员倒是愣了，问徐琴："那他……"

徐琴也愣了一下，很快反应过来说："他啊，是我的小表弟。"然后拉着辅导员亲热地说："挺可爱的一个孩子，今天正好没事，要他带我看看学校。"辅导员也笑着说，的确很可爱的，然后朝我怪怪地笑了笑，如果以后点名都到就更可爱了。

徐琴也扑哧一声笑了，说那时候我们还不是经常跷课。辅导员见在学生面前丢了面子，似乎觉得很不好意思，急忙反诘说，你还好意思说，经常要买什么都差遣我去，我跷的课一半都是被你逼的。徐琴摇摇头说，你睡懒觉的时候每次点名可都是我给你带的到哦。辅导员也一脸孩子气说，哪次睡懒觉不是因为我半夜给你抄讲义啊。

徐琴和辅导员就这样聊着，把我晾在一边，甚至聊到隐私时，也不因为我在旁边而避讳，直到辅导员的短信响起，才不好意思地说有人催她，然后说以后有空出来喝杯茶之类，两人又胡乱扯了几句才说再见。

我和徐琴继续在樱花大道上散步，这时说是散步，我倒感觉像在赶集，我见辅导员走远了，问徐琴到底什么意思，徐琴很不解地问我怎么了。我说，你把我当什么人了，

跟我在一起是不是很丢人啊。我尽量平静地问她。她说，真是不知道你怎么想的，然后笑了笑，说今天樱花这么漂亮，怎么跟个小女生一样。

这话当时说得我有些无所适从，的确不好和她争辩，也就闷闷不乐行尸走肉一般陪着她一起逛，也不跟她说话。她忽然转过身来问我，是我不好行不行，怎么现在还跟个小孩子一样。我说你不就跟人说我是小孩子吗，我就小孩子行不行。她无可奈何，拉着我的手，说真是怕了你了。先走走散散心吧。我想了想怕被同学看见，也就顺从地被她牵着走。还是没给她好脸色。

她似乎也并不高兴，脚步快了很多，几乎是拖着我在走，但是忽然我停住了。苏琳也在对面数米处停住了，如果一定要回忆到那个情景，我只能说那一刻，无论是人潮，还是樱花，或者是这个学校，这条路，都没有了任何意义，充满着我的，是一种奇怪的感觉，就好像被一条巨大的蟒蛇缠绕全身，让我无法呼吸，慢慢地挤碎我的每一块骨头。

我闭上眼睛，几乎整个人瘫软了。我深吸了一口气，整理一下自己的表情看着苏琳，苏琳也用一种很奇怪的眼神打量着我，她的眼睛里似乎遗忘了那个荒唐的晚上，在她身边站着的，正是一个壮硕的外国人，个子不高，一头卷发，颇有些像马拉多约。跟苏琳站在一起，看起个子差不多，倒也协调。

我想他就是那个传说中的洪都拉斯的帅哥了。他似乎看见了苏琳的异样，用一口不太流利的汉语问："这是你的朋友吗？过去问个好吧。"

同时，徐琴也看到了这一幕，她晚了一步，不过她显然

157

看出了点什么，用眼神示意我一起上去打个招呼。

　　苏琳过来问我现在还好吗，我笑了笑说还好，然后指着洪都拉斯帅哥问："这是你的新男朋友？"苏琳说："普通朋友而已"，然后她介绍说，"他的中文名叫马杜罗。"我点点头。马杜罗很豪爽地要与我握手，我迟疑了一下，勉强握了握。她又问，跟你一起的是你原来经常提到的表姐吗？我则一把拉过徐琴，搂在怀里，也没管她有多惊愕："这是我女朋友。"我几乎咬着牙说。苏琳看着我，她的眼神让我不知所措，却又很快闪过。她说你们挺配的。我也很勉强地说祝你们也是啊，头脑简单的洪都拉斯帅哥大概并不习惯这种异国风情的话中话，居然还点点头说谢谢。

　　我和苏琳就此一别，半年后再见时才觉得这一次相见的机会是如此难得，而我却白白地让它流走。应该说这种不友好的原因一方面来自前面那点小别扭，另一方面也的确是因为对那"国际友人"的嫉妒，事实上无论什么我的确不能和他比，甚至就连那点宽容，我也比不上他。当时我心里愤愤地骂着苏琳，最后嘴里不知不觉还吐出一句："贱人。"

　　徐琴问我怎么了，我才从这种愤懑中醒来，发现自己呆呆地站在那里，我看了看徐琴，也没给她好脸色。一肚子郁闷又泛起来，我说我们回去吧，徐琴见我一副苦瓜脸，大概也是觉得这样逛下去的确没意思，说那好，我们走吧。

　　一路上她忽然问我到底怎么了，我开始还是不说，她多问了几句，我却真的恼了，一把把她拉到路边人少的地方问她："什么表弟可爱不可爱的，你觉得跟我在一起很丢人是不是啊？"

　　徐琴无奈地说："我都快被你逼疯了，你今天到底是怎

么了？我只是在你们辅导员面前不好说而已，这么点事情就把你弄成这样，你心眼也太小了吧，像个男子汉好不好。"我说："我本来就是小孩子。"她说："你真是不可理喻，一点事情被你想成这样。"我说："什么一点事情，两点事情，你根本就把我当个洋娃娃了。"然后指着自己胸口，脸贴得很近说："我是男人你知道吧，不是你今天高兴说表弟就说表弟，明天高兴说什么就什么的。"

徐琴也恼了，说你这都说的什么跟什么，根本就不是一回事，你刚才跟人说我是你女朋友我也没跟你争啊，自己知道就行了，我们一直这么长时间，你还是跟个小孩子一样。我说我已经说了几遍我就是小孩子了，你爱理不理，没谁要非得变个理想男人来求着你。徐琴一脸无奈说，好，我错了行了吧，我们回家好不好。

我没好气地说我还要赶回医院呢。她无奈地摇摇头，那好，我开车送你去，我说不用了，我不劳你这大驾。徐琴干脆转身走了，去教五楼下取车了，也没跟我说再见，径直走开了。我也没多看她一眼，想着快点走到校门口坐车回医院，却发现脑袋被什么敲了一下。

我看见地上横着的是一条樱花树的小树枝，也不知道它是为什么掉下来的，只知道它重重地敲了一下我的脑袋，花瓣也摔掉了好多，但却也算完整。忽然想到了卫婕，就脱下外套小心翼翼地把它包起来，笑了笑，朝学校门口走去，在门口又跟看门的大爷为包着的樱花磨了会儿嘴皮子，这才打的回了医院。

回医院的路上，我几次打开包裹，发现花瓣没怎么掉才放心地继续包起，下车后也一直小心翼翼，生怕到了医院樱花掉成了光杆。楼下却看到肖斯文，他一脸心事重重的样子，我喊了两声他才回过神来，我问他怎么了，他说听说卫婕病了，我专程来看你们的，我问他怎么没陪张艳看樱花，他说他也不知道，接着又说好像张艳的父母来了。我也没在意，问他怎么脸色这么难看，他说不知道怎么卫婕就哭了，看起来她病得不轻，你可得好好照顾她云云，我点点头，两人随便寒暄了两句，肖斯文就拦了辆的士走了。我则上楼去陪卫婕。

卫婕果然在病房里哭，病房里空荡荡的，只有卫婕一个人，她躺在床上嘤嘤地哭，看到我来了，连忙擦干眼泪，旁边是一些营养品和一束百合，估计都是肖斯文送来的。我笑了笑说，我在楼下看到肖斯文了，他还挺细心的。卫婕勉强地点了点头，面色还是有些苍白，我说你好好休息吧，看我给你带来了什么。

我把外套慢慢展开，一枝残缺却依然不失美丽的樱花展现在我和她面前。我半跪下作出一副求婚的姿势："送给你的。"

卫婕勉强地起身要接，我急忙站起来扶着她，她破涕为笑说，太幸福了，我会努力的，能下床了你一定要扶着我去看樱花，我笑了笑，樱花每年都会开的，等你病好了我们就一起去，实在不行到明年去看，也不过 365 天而已。

她又一脸忧郁地躺在床上，我则扶起她把她揽入怀中说，别这样了，开心点吧，连看门的老大爷都祝福我们呢，我们好幸福，好幸福的。她问我怎么了，我说今天出门的时候老大爷要我把它丢掉，我劝了好半天，最后只有说，我的女朋友要我带的，老大爷开怀一笑，居然放我走了。

　　我甚至连对话的细节也描述给她了，她笑了笑，说我们真的好幸福，好幸福。然后闭上眼睛，嘴角还带着甜。"是啊，好幸福，好幸福。"我喃喃地说。

　　《教父2》里，年轻的维托·克里昂，在一条幽静的走廊里杀死了他当时最大的敌人地头蛇方西之后，回到人潮拥挤的街头，他找到了在街头坐着的妻子和他的三个孩子，他抱着已经熟睡的小麦克笑着说："爸爸真的好爱你，好爱你。"背后的游吟歌手弹着吉他，唱的是一首古老的西西里民谣。

　　当时看这个电影的时候，是大一，在学校对面的录像厅。不知道为什么老板放了一夜的《教父》系列而没有放毛片，苏琳忽然问我，说父爱真的这么伟大吗？然后叫我抱着她，像这样轻轻地摇动，要我说爱她。我抱着她喃喃地说，我真的好爱你，好爱你，她幸福地一笑，一直到她睡着，笑容还挂在嘴角。

　　我从回忆中醒来，卫婕却在我的怀中睡着了，我笑了笑，缓缓把她放下，掖好被子。我独自站在阳台上点起一枝烟，深吸了一口。乌云却悄悄流过，阳光开始显得不是那么刺眼了。

　　三天后，卫婕可以下床走路了，她拗着我要去看樱花，我只有扶着她下楼，那时的樱花已被刚过去的一场大雨淋得七零八落，几片孤零零的花瓣脆弱地挂在枝头，樱花大道上，人少了很多，看起来多少显得有些凄凉。她无力地依偎在我怀中问我："难道我们注定要错过这最美丽的日子吗？"我说，当然不会，明年我们还可以来，以后年年都可以来。"难道樱花比爱情更美吗？"我苦笑着说。

　　卫婕出院以后的日子，都显得很失意，有时跟我吵架什

161

么的，之后就独自一个人静静地放着《sakura》，一人听得流泪，后来我听日本朋友敏郎说，这首歌的歌词写的是同学之间的友谊，短短几年时光就注定要分离，在一起的时候像樱花一样短暂，长长的分离只有回忆才能解除痛苦，所以一定要把握那段最美好的时光。

最后一次见到敏郎时，他被两个义愤填膺的家伙架着，我狠狠地踹了他肚子一脚，后来想跟他道歉，却听说他已经回国了。据说他在保卫科用一口并不流利的中文苦苦为我求情，我才得以逃脱被开除的厄运。回日本以后他在做什么，想什么，我都不得而知了。他给我的惟一的印象也只局限在他每次见到我都会说的一句并不流利的汉语："我要华丽地活着。"

32 疲惫的灵魂，永远得不到安息

　　卫婕在看完樱花那天晚上回到医院，并没有去完成我们的拼图，一个星期后，卫婕出院了，她回家的第一件事情不是打扫我们的房间，而是去完成那副拼图，那片碎片在我的牛仔裤荷包里发烫，我努力抑制自己的不安，十分钟后，硕大的拼图放进相框里，那一块缺憾显得特别明显，我本以为卫婕会发作，甚至已经准备好了纸巾和安慰的话，但是结果却还是出乎我的意料，卫婕只是叹了口气。

　　"我们真的没缘分吗？"她把拼图挂在墙上，凝视着那块缺角淡淡地问我，我说当然不是，我们的缘分，我们的命运怎么可能由一个拼图决定。

　　我走过去抱着卫婕，卫婕也依偎在我怀里，表情木然，过了好一会才很配合地与我接吻，她在狂吻间脱下我的上衣，我也解下她的乳罩，忽然我好像记起来什么，像是光明中所有的灯都黑了下来，我急忙推开她，坐在床上叹了一口气。

　　出院的时候，医生继续用食指敲着桌子，他告诉我，卫婕出院以后很长一段是绝对不能有性生活的，我急忙问多长时间，医生说，看以后的检查结果吧，然后很惋惜地摇头说，有可能是永远。

我站在窗口一个人抽着闷烟，卫婕也穿好衣服，用一种很歉疚的眼神看着我，我抽完烟走过去，卫婕说，我都这样了，你还要我吗？我却笑了，我说你变成蛤蟆我都要你，她也笑了，我却觉得笑得很勉强，好像看透了什么一样。

第二天，她宣布去好好上课，每天去上自习。她很早就辞去了那份兼职，但是也很少去上课，做出这个决定让我很是惊讶，而且更惊讶的是她居然说到做到。我下午放学回家经常发现她不在，打电话给她，她周围的环境总是安静得怕人，她会说她在自习室或者在图书馆，再或者就是在自习室、图书馆和家三点的路上。

她每到这种时候我就会说，那好吧，我在家等你。只有一次，我钥匙锁在家里了，才到自习室找她。那段时间她很少化妆了，却多了些书卷气，不过不管如何她依旧是众人关注的校花，依然是这样漂亮，依然是焦点。她把钥匙给我之后没说什么又继续进教室看书了，一副分秒必争的样子。

三个月后，卫婕在这样一种平静的气氛里永远地离开了我。即使是在和我分手的那一刻，她的语气神态都是那么淡然，恍然间便是 2001 年的校花卫婕，用平淡、冰冷的语气拒绝掉一个普通的追求者。那天，我默默地把最后一片拼图递给了她，她用冰冷的手指接过，然后，坚决地转身走掉了。

2002 年的时候，我对徐琴说，爱情会死。当时的我一定没有想到，一年后，这句恶毒的话竟会在我和卫婕身上应验。2004 年的时候，我离开武汉前夕，曾经把当初和卫婕一同走过的大街小巷又独自走了一遍。整整三天，我一直在外

边不停地走着，试图去追寻我那死去的爱情的一点点遗迹。

但是没有，什么都没有了。2003年的春天，我的爱情病了，那时的我还太年轻，还不懂得爱，仅仅几个月，我的爱情就迅速地死掉了。

2004年的夏天，校园里充满了离别的躁动，那些日子里，我点燃了一枝又一枝香烟，也正是在那段日子里，我充满了对卫婕的愧疚。2003年春天的卫婕，一无所有，青春依旧大把，却已然经不起肆意地挥霍，爱情经过一年的时间浸泡，已经渐渐褪去了鲜艳的颜色，前程未卜，身旁却没有一个可以说话的人，她只有重新走进教室，带着满身的伤痕，回到当初的起点。

2003年的春夏之交，我的爱情迅速地衰老，死去。一同陪葬的还有老二。那天回到寝室，还没进去却发现屋里有人在哭，原以为是肖斯文，进去才知道是老二，算算这个学期除了点名，两个月了居然没看他一面，他显得一脸疲惫，眼角还挂着泪水，老大和肖斯文则在一旁劝，老大劝"要做个男人"，肖斯文劝"女人如衣服"，闹得不亦乐乎。听这些多少能明白一点，大概是老二失恋了。

老二哭干了眼泪就被肖斯文一路劝着送走了，一问才知道是真的失恋了，老二为了一条厅长公子在生日宴会上送给叶馨的围巾大吵了一架，大概是话说得太难听了，叶馨一气之下哭着跑出来，一连几天没回家。老二带着满心的落寞和恐惧在武汉街头找了一天一夜，回到家时，才发现她已经收走了屋子里所有属于她自己的东西。

叶馨后来怎么样我不大清楚，只知道后来她一直没有跟老二合好，也不知道后来跟谁在一起，而老二则一直孤单地守着那间不属于自己的屋子，依然不去上课，也很少和我们联系，就连 2004 年 7 月的那次散伙饭他也没去。毕业的时候老二没有拿到学位证，毕业证也因为学费没交齐，被学校扣着，直到我去广州的时候还没发给他。据说他还留在武汉，在一间小公司打工，准备赚足了钱把学费补齐了拿毕业证。我问留校的老大有没有和老二联系，老大则很郁闷地说，老二的手机已经欠费很长时间了，现在什么消息也没有。

我回家的时候已经快十点了，卫婕还没回来，应该还在自习室里。我无聊地打开 QQ 聊天，过了一会电话却响了，是徐琴打来的，她问我在干什么，我说没做什么。那天看樱花的不快也忘得差不多了，但是她一打电话来我也没多少好气。她倒似乎早就把这些都忘了，说话还是这么暧昧，她问我现在有没有空，我刚想说没空，再一看 QQ 上一个人也没来，也的确分外无聊，说还好，我刚回来，休息一下过来。她说那好，不许爽约哦，我懒洋洋地说没问题，再见。挂掉了电话。

我给卫婕留了个便条，说晚上陪同学去了。到徐琴家的时候，徐琴问我怎么这么快就来了，我说大概是的士司机开得比较快吧。她又说怎么现在脸色这么难看，我说没什么，她笑了，你不会还生我的气吧。我一愣，说怎么会呢？然后笑了。她说我呀，就喜欢你这小孩子脾气，连辅导员的醋都吃。我说哪里啊，我这么帅，辅导员吃我的醋还差不多。她扑哧一声，说你们那辅导员原来可是我的小跟班啊，她要是敢欺负你，看姐姐我不揪着她的耳朵在学校跑上一圈才怪呢。我也跟着笑，说其实没什么，只是我自己不大喜欢别人把我当小孩子而已。她说那你不早说，以后干脆人前就说你

是我表哥好了。我说不用了，说了也没人信，还顺便要鄙视我。两人就这样胡扯着，气氛一下活跃了好多。

她忽然依偎在我怀里娇嗔道，这么长时间也不知道你怎么样了。我很淫荡地笑了，你不知道么？实践是检验真理的唯一标准啊。

浴室内，蒸汽弥漫。两人看着对方，袒露着每一寸肌肤，一会儿，我们互相摩擦着，缠绕着，从浴室到走廊，从走廊到客厅，又从客厅到卧室。

第二天早上，她坐在旁边。我说，我得回去，她却拉住我，说时间还早，为什么要急着走。我说累了，那休息一下吧。她说好，我去给你做早点。我很奇怪地问她怎么忽然会做饭了，她神秘地笑了笑，说是为我学的。

她做的早餐很简单，两个煎蛋，几片火腿肉，还有一杯牛奶。我问徐琴怎么不吃，她却说先让我尝尝，我尝了一口，的确很难吃，不禁皱了皱眉头，还是咽下去了。吃完早饭我抢过洗盘子的任务，洗着盘子她却忽然从后面抱住我，又说想要，我还没把盘子放回壁橱，舌头却已经和她缠绕在了一起。

33 开始的开始，是我们唱歌
最后的最后，是我们在走

　　我记忆里的老二是一个很重感情的人，这种痴情甚至让人感到幼稚，但是所有的感觉也不外乎就这些，一直到后来他落魄地在校园里穿巡，在那喧闹的毕业典礼后不知所踪，他都被我们忽略掉了。他的爱情死了，他的生活也就消失了。有的时候，我常常羡慕他的痴情，爱情就是他的全部，虽然受伤严重，但是爱得投入。不必像我这样，自己在夜里惊醒时都会后怕：我是一个坏人吗？

　　2000 年刚来这个学校的时候，我最早认识的就是淳朴的老二和肖斯文，谁是第一个和我招呼的已经记不清了，只记得肖斯文的床铺早就整理得干干净净，而老二整理得似乎有些艰难。1998 年，他老爸在收到儿子市重点的退学通知书以后，在逆子身上浪费掉了两根笤帚，一气之下把他送到一个遥远的农村中学，做教务处长的伯伯亲自督促，还为他铺床叠被，点着蜡烛苦熬了两个高三之后，他终于如愿以偿考上了莫大，人却变了好多。

　　在我四年短暂的印象里，老二的话并不多，偶尔说几句也总是冷场。2000 年刚入学时，等他铺好床，老大已经到

了，放下包袱首先和我们聊上了天。我抽着肖斯文给我的"黄鹤楼"，嚼着老大分给我的老腊肉，肖斯文则提起开水瓶，问大家有没有杯子，嚷嚷着要尝尝我家乡茶叶的味道。

刚下床的老二似乎显得有些不好意思，然后问有没有人愿意一起去踢球，我们面面相觑，最后无人响应。老二很不好意思地说没带什么东西来，我们三人说这有什么大不了的——其实本来也就没什么大不了的。晚上点完名回来，就看到老二提了一堆水果说分着吃，这些水果一个星期后我们还没吃完，最后全发霉扔掉了。

老二最后一次和我喝酒，是在 2003 年，他的爱情死去的那个春夏之交，起初老二是说不谈感情的，但是酒过三巡，酒精冲毁了他回忆的最后一道防线，我静静地听着，只是随时嗯一声，表示我在听，其他什么话也没说。

他开始回忆 2000 年刚入学时就认识了叶馨，他们是在足球场上认识的，在所有人的记忆中，中学时代女孩子就有在球场边看男生踢球的习惯，但是大学里这样的女生却少了很多，而叶馨却还是喜欢像小孩子一样在球场边徘徊的，甚至找不到一个跟她一起来看球的女伴。起初她只是随便看看，后来就只看老二踢球了。老二最后一次被人铲断了骨头之后就再也没有踏足过球场一步，而是和一直照顾着他的叶馨在学校附近租了间房住下了。

"如果爱上一个女孩子只是为了还债，那是件很累的事情，因为你根本就没有爱上她，"老二抿了口酒对我说，"其实叶馨是个很懂事的女孩，只是太小了，总是闹小孩子脾气，我不能不让着她。"老二接着又开始讲起他们生活的细节，最后讲到了分手那天，"叶馨过生日，请了很多人，有我认识的，也有不认识的，有一个是厅长的公子"，老二叹了口气："其实仔细想想那家伙也没什么歪心思，只是送了条围巾给叶馨"，老二抿了口酒，"回去后我有点吃那家伙的醋，问这条围巾的事情，也没有责备她的意思，但是她却显得很生气，说我一天到晚瞎想些什么东西"，老二把杯子里的酒一饮而尽："其实说白了什么事情也没有，多半我也不该问这话，只能怪我太多心，结果叶馨一下楼就叫了一辆的士，我追都追不上。"

"那天晚上，从寝室到街上，一个人在外面像游魂一样，盯着每一个我看得到的人，希望能找到叶馨，但是没有找到。"老二闭上眼睛，回忆的痛苦扎得他无比疼痛，以至于有气无力："那天晚上，我他妈跑遍了学校周围的四条路，一个认识的人影都没看见。"

我同情地拍拍他的肩膀，张嘴想说什么，话到嘴边，却变成一声叹息。

老二勉强地笑笑，然后想起点什么，提醒我说那天夜里三点，他在一家夜总会门口看见苏琳的新男朋友，那个洪都拉斯帅哥马杜罗了，当时这个家伙满面红光地带着两只小野鸡打情骂俏，一看就不是正经人。

我听老二这么一说，心头一阵腻歪，后面的话都只听了半头。到了最后，老二说本来想喊大家一起出来的，但是老大要去导师家吃饭，推不掉，然后他说起肖斯文，他说肖斯文最近变了好多，冷漠了，什么事情都神神秘秘的，然后叹了口气说，人变得真快。我说肖斯文大概是有什么事情吧，反正我觉得还好，大概是你很少回寝室吧。老二说了句也许，然后笑了，我去的时候你都不在，其实你回的比我更

少。我笑了，说，大概是吧，算算我一学期回寝室没超过十次，人就是这么奇怪。老二笑了笑，举起杯喊我喝酒。

老二和叶馨就这样静静地分手了，二人都没有再做一点多余的努力，干净利落。2003 年，我去北京前，肖斯文最后一次和我在虎泉夜市喝酒为我饯行，就提到了老二分手的事。根据他的描述，那天夜里的真正情况是，老二小两口别别扭扭地回了小窝，不咸不淡地扯了几句，老二在他脆弱的自尊心的驱使下，奋力强暴了叶馨，其手法之残忍，令人发指。叶馨是个乖乖女，哪里见过这般阵势，差点没被红了眼睛的老二吓死，一夜蹂躏之后，叶馨全身青紫，胳膊都差点被拧断，没报案就算是仁义了，自然不会再和老二多说一句话。

我不知道肖斯文的情报来源是否可靠。2004 年，最近一次听到老二的消息，是老大告诉我的。他说在电脑城看到了老二，当时他正吃力地把整箱的电脑配件从车上卸下来，和老大寒暄了几句，老板催他快点，他就留了个手机号给老大说以后联系，我要来号码，却发现已经欠费了，后来再打过去，居然说此号码已过期。

那天夜里，本来说喝个通宵，结果老二才喝到九点多就吐了，我把歪歪倒倒的老二送到家后，就直接回了寝室，寝室里只有老大在，我问肖斯文哪里去了，老大说他也不知道，他也是刚从导师家回来。我连声说恭喜，保研的事情应该差不多了吧。老大笑了笑，八字没一撇的事情还是不要多提了，我问导师的女儿长得如何，他就开始陶醉地描述起来，当天我和老大就在这种意淫的气氛中等肖斯文回来。

2000 年刚到寝室的时候，看老大的第一眼就让我想到了高大全，老大辍了三年的学，在家里种田，如果不是县城里一个厚道亲戚的支援，这种生活还会继续下去，他似乎很珍惜这个机会，也很明白自己的处境，上人大的分没敢往北京跑，而是在莫大留了下来。

他比我晚些时候来，直接爬到床上麻利地整理好床铺，却开始问我们一些天真的问题，比如学校的樱花什么时候开，比如学校准不准谈恋爱之类的。我和肖斯文则在旁边一唱一和，气氛一下活跃起来，老大则听着肖斯文的故事和我的贫嘴，一脸向往，一直听到晚上点名，才问起老二到哪里去了。

2004 年的春天，老大保研的事情正式定下来了，请我们喝酒的时候忽然说漏了嘴，意思大概是说他被导师看中了，导师的宝贝女儿也似乎很中意他。那段时间老大早早地做完了毕业论文，真的去恋爱了。后来在南方打电话问老大，老大说他最近很幸福，准备读完研就结婚，然后他开始感叹，还是学校好，出来太复杂了，真希望一辈子都在这个学校里，再也不出来。

肖斯文回来的时候显得有些疲倦，无精打采，我问他最近找了苏琳没有，肖斯文想了想，说没去找。我说你不是说帮我找苏琳说的吗。他又说是啊，我跟她说了一会儿，不过她一会儿就说有事走了。我说到底跟苏琳接触了没有啊？他却还是一副心不在焉的样子。于是我郁闷了，说那洪都拉斯帅哥估计也不是什么好东西，如果碰到苏琳记得给她提一下，肖斯文勉强点点头。

2000 年刚到这个学校的时候，第一次看到肖斯文是在寝室里，他很热情地上来给我套近乎，给后来的老大递烟，还不忘记帮先来的老二铺床。本来以为是某个不成器的家伙的哥哥小叔之类的，后来一问才知道是肖斯文。他一人绑着两万块钱来到学校，后来他告诉我，到学校报名的前两天他就逛完了附近所有的娱乐场所，然后感叹了一句，原来武汉也就这样。

2004 年 9 月，和老大通电话时，老大一副苦口婆心的样子，说肖斯文变成了一个唯唯诺诺的人，在报社里很低调，工作也很卖力，更没听说他去寻花问柳，已经完全不是当年那个肖斯文了。然后老大开始劝我，其实当年那事，也不能完全怪肖斯文，现在报应也报应了，该原谅他了吧。我嗯了两声，默默地挂掉电话。

34 这城市已合上它孤独的地图

　　2003 年的夏天，整个武汉的空气像一锅煮沸的汤，好像要把一切都分离，然后融进这滚烫的空气中。去北京实习前的最后一个星期，我最后一次见到苏琳，是在去她宿舍的路上。

　　那时候我正准备去找她，因为我不能确定肖斯文到底会不会说那个美洲帅哥的故事，但是在路上却看到苏琳和肖斯文在一起，两人看起来好像并不投机，总是肖斯文说什么，苏琳应一声，或者点点头，有时候甚至好像是没听到，什么反应也没有，直到走近了，他们才发现我，我给他们打了个招呼，苏琳淡淡地应了一声好，肖斯文在一旁则显得有些尴尬，很自觉地站在一边，甚至还退了一步保持距离。

　　苏琳跟我说话显得有些不冷不热，看得出她的心情也不是太好，说了几句也无非是最近好不好之类的，我开始觉得有些不耐烦了，问苏琳最近是不是有什么事，苏琳说没有，我说没有就好，把后面的话咽了下去，变成一口浊气叹出来。我说你们慢慢逛会儿吧，我还有事，然后补充了一句，如果有事别放在心里，对身体不好，说了声再见，我就转身走了。

　　其实我又有什么事呢？无非是想告诫一下苏琳，那个洪都拉斯帅哥不是个好人，以后什么事情都注意一点，苏琳还是这样单纯，虽然分手多时，但是好多事情还是让我放不下，前面让苏琳受了不少委屈，我不想让她再受一次伤，仅此而已，没有别的什么想法。今天看到了肖斯文或许让我会有些宽心了。

　　我点上一棵烟，看着通往苏琳宿舍的林阴道上隐约刻着名字的樱花树，樱花早就已经谢了，不甚繁茂的枝叶遮蔽着半个天空，以前我曾经就是沿着这条路送苏琳回寝室，也曾经与卫婕徜徉于这条弥漫着爱情味道的小路，甚至还和徐琴在这里看过樱花，但是我马上就要走了。离开这条无名的小路前，一位留在武汉的河南学长告诉我，北京那里樱花树是长不活的，但是去北京的时候，朋友却告诉我玉渊潭公园的樱花每年都会怒放，而我去的时候却错过了季节。

　　那天我几乎走遍了学校我曾经走过的每一条路，莫嘉大学的底盘大是有名的，每一条曾经走过的路上，都洒满了我曾经的爱情，或许用一天时间根本就不够收集路上曾经属于我或者苏琳的点点足迹。在农村的时候，老人说人大去之前，灵魂会在每个夜晚出外行走，把曾经走过的足迹都收回来。在北京的时候，我经常梦见我在校园里孤独地彳亍于校园平静的路上，周围则是静默的人群，冷漠地看着我孤独地行走，每到那个时候，我都会从梦中惊醒，以为自己大限将至，而这个时候，我第一个想到的是，还没有看苏琳最后一眼。

　　我一直走到了天黑，看着宿舍还没关门，回宿舍时才知道肖斯文一直在寝室等我，然后问我怎么脸色这么难看。我

175

说没什么，只是人要走了，想到好多事情。肖斯文走过来拍拍我的肩膀，说坐下来休息一下，别想这么多，接着就跟我谈到了苏琳。

他显得有些负疚，说苏琳最近心情一直很不好，没能好好劝她。然后问我，怎么忽然想到要去找苏琳，我说没什么，放心，我没吃你的醋，我去找她只是想说说那个洪都拉斯留学生的事情，他不是个什么好人，怕苏琳跟他在一起会被骗。

肖斯文无奈地笑了笑，说你最近也是想得太多了，不过好多事情不是你自己想得这么简单。我问他怎么了，他显得有些为难，我也笑了说，你个王八什么时候还有说不出的话了，在我面前卖什么关子。

肖斯文摇摇头说："恐怕兄弟之忧，不在洪都拉斯，而在萧墙之内也。"我说你这不还是在卖关子，到底什么事你个王八说好了。他说，这阵子，有个美术系的哈包帅哥追卫婕追得有点紧，不知道最近怎么样了，反正我那个时候看到卫婕跟一个陌生的长头发男生走在一起，后来到同学那里一问，才知道是美术系的，具体我也不是很清楚，不过兄弟还是悠着点好，到时候出了问题也不要怪我没提醒你。

我心里一沉，嘴里骂道："我靠，怎么全世界都在挖我的墙脚。"肖斯文却在一旁嘿嘿一笑："谁叫你个王八工程多。"

肖斯文这句话让我很是郁闷，但是想了想，我还是不放心，给卫婕打了个电话，响了很久才接。电话那头安静得吓人，甚至连脚步声都听不到，我问卫婕在干什么，她说在图书馆，声音显得有些焦躁。我嗦了一声，说你很忙我就不打

搅你了，还没等她解释就把电话挂掉了。

挂掉电话后，我焦急地跺着脚在原地转了个圈，咬了咬牙，发了个短信给卫婕：

今天晚上八点，在家，我等你。

其实说是家，这个家我已经很久没回了，具体什么时候我不记得，只知道我平时基本上住在寝室里。武汉的夏天，一个木床板一床席子，再加上一床旧被套和几本用衣服囫囵包起来的书，就可以解决睡觉问题了。起初我还给卫婕打电话通报一声，后来干脆说都懒得说了，事实上她也很少打电话来问我。

再次回到这个家时，我感觉有些陌生了，我在小小的房间里转了一圈，地还是扫得那么干净，厨房里的餐具也摆得井井有条，床上原来的那个毛毛熊也从衣柜里拿出来了，看得出还被认真地洗了一遍，提琴盒子上原先的灰尘也被擦去，皮面锃亮像是昨天才买的。墙上挂着的，还是我和她那幅缺了一小块的合影拼图和一幅凡·高的《星空》，一切如常，惟一不同的就是我不在的时候，没有我的糟蹋，房子的确干净了不少。

我看着墙上的拼图出神，当初和卫婕一起做拼图的时候，她总是一副很天真的样子，说拼图做完了如何如何，每到那个时候我都会觉得兜里那块拼图就在发烫，一直烧灼到我的骨头。我把拼图取下来，小心地摆在桌上，把兜里那块拼图取出来，镶上去以后才发现如此完美。不用我想我也知道，跟卫婕在一起的时候，我欠她很多，绝对不止这块拼图这么简单。

我从刚才的回忆中醒来，看看时间，发现已经八点半了，我又把那块拼图取出来把玩。

2003 年 3 月，我和卫婕在江汉路附近一条无名的巷子里订做了这幅拼图，那一天的报纸上，永远地记载了两件可以间接影响我一生的事情，一个倒台的贪官，一个脸上刻字的男人，这个时刻，那个倒台的贪官还在看守所里颓败地等待法院最后的裁决，而十几个小时之后，这个脸上刻字的男人，却要重新出现在我的生活中，并告诉我许多我并不知道的事情。

时间一点点过去，想到肖斯文的话，感觉一阵焦躁，卫婕跟我在一起，从来就没有爽过约。我望着墙上的时钟，然后又呆呆地望着这幅拼图。

拼图上的胶纸已被细细地擦过，一尘不染，甚至连划痕都没有，刚才掀起来的时候，不小心折出一条白色的印记，我徒劳地擦了擦，最后还是放下了，这个时候我开始对时间越来越没有概念，偶尔看看钟，再看看手机，接着看着拼图傻笑，偶尔想起和卫婕生活的片段，从相识的甜蜜到肖斯文给我讲完美术系男生以后的踌躇和彷徨，一切历历在目。时间在一分一秒地过去，九点了，九点一刻，九点半，十点，十点半，十一点半，一种不祥的预感伴随着肖斯文的话开始在我耳边萦绕，我感到有些害怕，正想点起一枝烟，却传来一阵急促的脚步声。

门吱呀一声艰难地开了，卫婕一脸疲惫地走进来，疲惫中似乎又带着些充实，这大概就是所谓的健康的疲惫。她把书包挂起来，很关切地问，这么热怎么不开电扇？我抹了把额头上的汗说，不用了。

我深吸了一口气，尽量平静地问她怎么现在才回来，她

显得有些抱歉，急忙说是去找老师拿资料了。我盯着她的眼睛，冷冷地嘿了一声："只怕是美术系的老师吧！"卫婕从来没看我这样对她说过话，先是一惊，有些生气，又有些无奈："你不要这么幼稚好不好，我都不知道你说的是什么。"

那时的我被醋意冲昏了头脑，都不知道该说什么，咬了咬嘴唇，满眼是火地看着她："我幼稚？好啊，那美术系的长毛帅哥就成熟，你去找他啊。"

那一天，是我亲手把卫婕从我身边推开的，我最后一句话吐出来时几乎疯狂，把桌上的拼图一把扫到地上，我和她的影子在地上破碎了，我却看都没看一眼，她想拦住我，我却把她推到一边，一转身摔门而出。卫婕焦急地开门，喊我回来，我没有理她。

我现在还记得她带着哭腔的声音："汪平，你太让我失望了！"偶尔会觉得后悔，偶尔又觉得后悔也没有用了，我记忆最深的是那时候我停了一步，我想回头，却终究没有回头，心头一硬，还是走了。

本来是想跟卫婕好好谈谈，摔门走的瞬间，我的爱情错过了最后一线生机。最后一次挽救爱情的努力，却被自己的冲动任性再次葬送。

两个月后，我从北京回来，交给她最后一片拼图，我们的爱情结束了。

2003年的那个夏夜，武汉的夏天一如往常的闷热，空气窒息得令人发疯，我在亲手埋葬了自己的爱情后，一路狂奔，耳边似乎还响着卫婕的哭腔。时间已经过了，我回不了寝室，更不能回家，街头影影绰绰的人群像幽灵一般在街头徘徊，月光冷冷地洒满这个城市，仿佛那一刻又回到了冬天。我孤独地翻着手机上的短信记录，很多是最初认识卫婕时留下的，一直舍不得删，而最新一条是徐琴发给我的，无非是问候一下好不好之类的，我踌躇了一下，还是拦了辆车决定去找徐琴。

车上我就给徐琴打电话，但是却一直没人接，我一个接一个地打，直到她楼下，电话响了好久，才听到她气喘吁吁地来接电话，我问她什么事情，她说在公司加班，刚才才下来接电话。

我犹豫了一会，她问我有事情吗，我说："我今晚是想来找你的。"徐琴在电话那头轻轻地笑了："小傻瓜，明天吧。"我闷闷不乐地应了一声，把电话挂了。

我在小区里徘徊了很久，巡逻的保安认识我，问我在干什么，我笑了笑说在找东西，几个人点点头无奈地走了，我则继续徘徊，夜深了，一切都如此寂静，我看见徐琴家里的灯光。又拨了一遍，电话却关机了。

我想走，却又不知道往哪里去，独自一人坐在草坪上抽烟，仰望着夏夜武汉的星空，月亮依旧皎洁。银河还是若隐若现，北极星也依然清晰，而我的世界却一片模糊。苏琳是我的月亮，她离开了我；卫婕是银河，在云雾中不知所踪；徐琴是北极星，乌云下，找不到她的方向。我像一个失去罗盘的旅人，望着没有目标的星空在荒漠中不知所措，最后倒在一片绿洲下，不甘心地睡去。

35　距离让我们不知廉耻

　　2003 年去北京的前一个晚上，我是在徐琴楼下的草坪上过的，那一晚我没睡好，做了一夜的梦，最后被惊醒，做的什么梦我记不得了，只知道被惊醒的瞬间我一身冷汗，醒来后我倒吸了一口冷气。

　　武汉的初夏早晨，会出奇的凉爽，我拍拍身上的草屑，伸了个懒腰，再看了看徐琴家，转身想走，却发现徐琴楼下的门开了，徐琴和另一个男人谈笑风生地走出来。她忽然间发现了我就站在离他们不远处冷冷地看着。

　　徐琴当时一惊，一下居然没说出话来，和他在一起的那个男人我不认识，但看起来却总是觉得眼熟，他倒是很镇静，主动走过来，徐琴悻悻地跟在后面，好像不敢看我。

　　徐琴好不容易才反应过来，看到一脸颓丧的我，很不好意思地想说点什么，那个男人却对她说："就送到这里吧，你回去好好休息。"

　　徐琴未置可否，那个男人却转身对我笑着说："小兄弟，我想请你找个地方喝杯茶。"这话说得我有些诧异，过了好大一会，我才摇摇头说："我根本不认识你。"他笑了笑说："不，其实我们一直认识，我要跟你讲一些事情。"

徐琴想拦住他，却被他提前抢过了话茬："放心吧，不会有事的。"他的语气很淡，甚至显得有气无力，徐琴停顿了一下，朝我点点头，眼神里带着些歉意，也似乎告诉我："去吧，相信他。"我愤愤地看了她一眼，扭过头对那男人说："我们去吧。"

　　小区附近的咖啡厅里，我满心狐疑地跟着他找了张周围人最少的桌子坐下来，武汉早晨的阳光越发浓烈，开始肆意在大街小巷弥漫开来，让人窒息，但是咖啡厅里的空气却多少让人全身发寒，几缕冰冷的阳光穿透了窗帘，在桌子上冷冷地留下一个不大不小的光斑。

　　"我是赵志刚。"他说话的声音很淡，却让我大吃了一惊。他并不在乎我的讶异，而是慢条斯理开始讲起他的故事。

　　在《美国往事》中，满心疮痍的 Noodles 故地重游，却意外地收到一封贸易部长贝利给他的邀请函，他满心狐疑地见到这位政界红人时才发现，居然就是他当年的朋友 Max，故人相逢，Noodles 却已无力再提往事，只是麻木地问 Max 为什么要请他来。

　　2003 年 6 月的赵志刚从医院出来并没有多久，病床上的半年让他那精实的肌肉有些疲软，整容手术也让他的面容显得有些不那么自然，但是从徐琴的床上下来，红润的脸色告诉我，他依然精力充沛，好像前一天晚上仅仅是做了一场春梦。他一边用吸管搅动着杯子里的泡沫，一边对我说："有些事你不知道，我和你说说，你可以听听。"我什么也没说，只是点点头，示意他继续，但是他却在这个时候沉默了，苦笑了一声，举着空杯子在那缕阳光下旋转着，投射在光斑上

的是一团彩虹的颜色："其实我们很有缘，可是你并不知道。"他把杯子放回原处，桌上那团小小的彩虹也随之消失。

他继续讲着，讲到卫婕，讲到徐琴，讲到李秃子，讲到我，甚至还讲到肖斯文，以及许多我根本不认识的人。他越讲越懊恼："这些都是报应，你知道吗?"我叹了口气："怎么想到要找我说这个了?"

Max 在跟 Noodles 讲完了所有的故事，他夺走了最好的朋友所有值得珍惜的东西——所有的财产，最珍贵的友谊，最心爱的女人，却在最后大限将至时，将一把手枪交给 Noodles，希望能死在自己最愧对的人手中。

他很诚挚地盯着我的眼睛说："徐琴是个聪明人，但是，我最对不起的还是卫婕"，然后又问，"卫婕是你女朋友对吗?"事实上我在这之前就告诉过他，但是他还是问了一遍，似乎并不敢相信。我点点头说："是。"他就没有继续说什么了，我一直把他这句话当作道歉，他似乎还想说什么，却都咽了下去。

"有时候觉得人和人不见面，就无法面对，所有阴暗的想法做出来也从来都不觉得羞愧。"他又这样对我说，说得有些无头无脑："就好像如果早点能和你坐在一起，或许很多事情就不会发生。"他顿了一下："你可以去法院告我，我不会恨你。"

2004 年我在广州，有一天我收一张俗气的风景明信片，本想随手丢掉，却发现上面只写着一行字：

距离让我们不知廉耻

我忽然一震，想到应该是肖斯文寄来的，但是他的字太烂了，我想，也许这句话是赵志刚说的吧。

183

Max 把 Noodle 送到他那座豪宅的楼下，几句不冷不热的道别之后，Noodle 孤独地走在寒风凛冽的纽约街头，一辆起初停在 Max 楼下的垃圾车在他眼前驶过，Max 的尸体吊在车厢后敞开的巨口中，在纽约即将拂晓的寒风里摇摆。

我从咖啡厅出来以后，不冷不热地说了声再见，从此我再也没有见过赵志刚，我不想坐车，独自在夏日耀眼的骄阳下行走，阳光让我睁不开眼睛，十分钟后，一辆垃圾车从我眼前驶过，我下意识地看了一眼，却发现车厢后空荡荡的。

那以后我养成了一个不好的习惯，每当垃圾车路过，我都会注意一下车厢，想想赵志刚那天给我说的话。

36 女人啊！女人！

2003 年我去北京的最后一个晚上，也就是从咖啡馆出来的十个小时后，我把赵志刚给我讲的事情复述给肖斯文听，本以为他会在我离开武汉前的最后一晚细心聆听我的话，但是他漫不经心的猥琐表现多少让我有些寒心。

我讲这些事的时候，他正在和龙虾交战，两片肥厚的嘴唇沾满红色的油还挂着一小截绿色的葱花，我讲完后感叹了一句，世界怎么会这个样子，他却也只是抬起头问："完了？"我心里一阵郁闷，觉得很恶心，我怎么也想像不出眼前这个饕餮般的家伙就是号称驰骋情场无所不能的肖斯文。又皱着眉头观察了半天，发现他长得有些像任达华。

其实从 2000 年入学，肖斯文的床头就一直挂着任达华的海报，跟对面老大的书法作品摆在一起，很是不协调，最后在大二的一次大扫除中被老大以太脏太旧为借口撕掉，但是在那以后，肖斯文就开始养成了一种不好的习惯——每每总是照着镜子，然后问我们他像不像任达华，问得人很是郁闷。一开始还抬抬杠，后来实在没心情了，每每还没问完我就拍起他马屁说："像，实在太像了，以后就叫你华哥好了。"不过说来也怪，就在那之后，他的色狼事业才开始走向辉煌，而在此之前他的确是一个很衰的人。

那还是在 2001 年春，我们刚开学不久，当年肖斯文兴奋地从椅子上跳起来，告诉我们他泡上了一个厅级干部的女儿。想来肖的老爸一生亡命宦海，殚精竭虑，也不过是一小小县长，不料儿子在网上随手斩获竟比老爸高了一级，不由有了青出于蓝而胜于蓝之叹。是夜，卧谈会肖斯文因故未能参加，余下三个针对他的去向问题展开激烈讨论，最后的矛盾集中在肖某人多日未锻炼，恐不复当日雄风。翌日，肖斯文下午才回来，眼眶乌青，双目无神，回来倒头就睡。后来我们零零碎碎探得肖斯文的口风，肖某人终于在一次酒后交代了事情的全部经过。

原来那天下午，此女呼朋引伴，红男绿女一行十余人首先开赴省委对面的梨山宾馆就餐，全部费用被肖某人大头揽下，酒足饭饱后又由肖某一人赞助，带领一干人等在附近酒吧继续腐败，肖斯文一头郁闷，本以为浪漫的幽会变成了十几个人的大 Party。

酒足饭饱外加一番文娱活动之后，肖斯文尚对此女怀有幻想，捏着口袋里最后两张人民币，支支吾吾要睡宾馆，谁知刚到宾馆，此女一句："不送了。"便将肖斯文一人晾在酒店大堂。

肖某在当时进退维谷之际，还是显示出一个色狼应有的素质，毫不犹豫，咬牙开房住进，在打完折以后还要 200 块的昂贵床上，绿着眼睛熬到天亮。待到第二天八九点时分，掏出手机继续昨天未完成的攻坚，电话那厢传来某女慵懒的声音，说没睡好觉，说两个小时打过来，两小时后，肖某依然不屈不挠，又打了过去，那边似有转机，叫他再等等。

　　那满怀喜色的肖斯文，一直猴急到下午两点，再也按捺不住，拨通电话，那边干脆关了机。这下肖斯文险些背过气去，支撑他一天一夜不眠不休的动力轰然倒塌，于是两眼一黑，踉踉跄跄摸回了寝室，把那颗破碎的心交给了久违的睡眠去医治。

　　但是仅仅一年之后，肖斯文就成熟了很多。在 2002 年夏天另一次类似的大 Party 中，肖斯文在接到一个电话后脸色大变，急忙说不得了，寝室门被撬了，得回去清点东西给保卫科交账。于是草草说了声再见，在几个穿着清凉的恐龙 MM 的讶异和关切中从容逃脱，避免了一次毫无意义的经济损失，临走还不忘在灾情最缓和的恐龙 MM 屁股上白摸了一把。

　　2002 年的肖斯文已经开始告别了他的青葱纯情岁月，他充分利用了他一米七八的身高，田径场和健身房里练就的古铜色的皮肤和一身中看不中用的精肉，再加上那张巧舌如簧、居然还会引经据典的嘴巴，拥有了取人贞操千里之外如探囊取物的资本。

　　而 2003 年我去北京之前的最后一顿，肖斯文在锅里捞了半天，发现龙虾已经没有了，又看着我在发呆，好像看到我在想什么，于是眯缝着眼睛，咂着嘴巴说："女人啊，女人。"那半截葱花夹着唾沫，差一点飞到我的脸上。

37 我的行李孤孤单单散散惹惆怅

2003 年 6 月，我踏上去北京的火车，那天肖斯文要去报社报到，老大也在忙着保研的事情，老二没有联系到，连我什么时候走都不知道。

卫婕也给我打了好几个电话，却都被我挂掉，终于还是没能来送我；徐琴就更不用说了，因为她的电话已经被我从电话簿里删掉。总之，那天我提着一大包行李，孤单地站在站台上，一个人随着滚滚的人流落寞地离开了武汉。

我去北京实习的报社是南方某报业巨头在北京的大手笔投资之一，刚组建不久。实习之前有人告诉我，被分到北京实在是我的幸运，因为至少有一半以上的人会在实习结束后留下来，我去北京是怀着憧憬去的，车到河南，再过河北，依旧是两年前我走的那条路，依旧是同样的黄昏黑夜，甚至是同一列火车。

2002 年的时候，我坐着这列火车，去那座天空中的城市，寻找我的爱情。而 2003 年的这列车里，远远的那座城市却牢牢地长在地上，我的前途忽然很现实地摆在我面前，在未来的三个月里，可能会决定我未来的生活。想到这里，我有些害怕，托邻铺的人帮忙看着行李，决定到处走走。

这趟列车与一年前乘坐的没有什么区别，只是更旧了些，窗沿有了些许的锈迹，我有些无奈地彳亍于列车狭窄的走廊，孤独和无助的感觉依然如影随形。我一直朝车厢后面走，一直走到那扇门前，一个列车员打开门出来，告诉我前面是软卧车厢，如果没有什么事情就不要继续走了。

我猛然醒悟，我站的那块地方，这两个车厢的接缝处，就是和徐琴邂逅的地方。

徐琴靠在窗前的扶手上笑着说："那问点别的吧，比方说你多大了。"我苦笑着，朝天笑了笑："下个月我就 22 岁了，你知道 22 岁吗?"我天真地望着窗外："我可以结婚了。"

"你去北京有什么事情吗?"徐琴问我。

"实习吧，挺好的，正好散散心，躲过一些烦心的事。"我苦笑着说："其实过去的也都过去了，但是要放下，真的好难。"

"让我们把原来的事情都忘掉，"徐琴有些难过地对我说，"回到过去好吗?"她伸出手，像原来一样，示意我抱着她。

我走过去，却一个趔趄，差点撞上扶手。眼前什么都是空的，只有两行泪水，凉凉的，润湿着我的面颊。

我擦干眼泪在那里站了好久，最后还是一咬牙走了，回到自己的床位。我用毯子蒙住头想大哭一场，却发现连哭的力气都没有了。我茫然地望着车窗外，曙光淡淡地露出了地平线，一轮红日漠然移动着，我安然睡去，任阳光开始洒在自己麻木的脸上，一点也不知道地上的北京将会是一副什么样子。

去报社报到的第一天，接待我的是一个看起来年龄挺小的姑娘，她自我介绍说她叫李舒。我点点头说名字挺好的，她呵呵一笑，一边带着我熟悉报社的情况，一边还多少有些热情地嘘寒问暖，拉拉家常，聊天的时候才知道她已经工作了两三年了，北京的水土不怎么养人，二十四五的姑娘看起来只有十八九岁大，皮肤也比长江边长大的姑娘粗糙了很多。尽管如此，她不能不说的确是个挺漂亮的姑娘，她的热情多少让我有了几分轻松。

李舒接着给我介绍带我的记者王老师。王老师是个三十出头的中年人，大概是跑社会新闻的缘故，看起来有些显老，所以私底下都喜欢叫他老王；跟我一起在他手下实习的是我们学校专升本的，也姓王，叫王康，看起来有些大大咧咧，一听我是校友就跟我侃个没完，如果不是李舒催我去看房子，恐怕他会跟我侃到晚上。

我的房子离报社不远，北京的房租贵，是武汉的好几倍，800块还只能跟人合租，跟我一起住的是一个前艺术青年，后来觉得自己没文化，在一间民办高校里蹲了几年，出来改行当记者。他理了理有些蓬乱的头发出来和我问好，看起来挺友好的样子，李舒问我满不满意，我说还好，她说如果不满意还有其他几个地方，我说不用了，就这里吧。她又提出带我去附近的超市买些生活用品，我连忙推辞说不用着急，趁白天想去周围看看。她笑了笑回了报社，我则一个人随便上了辆公汽，准备在北京城里逛逛，散散心。

北京的路还是如我去年来的时候那样拥挤，我又逛到了军博，买了张十块的学生票，进大厅里漫无目的地徘徊。这些曾经驰骋疆场的铁家伙如今静静地躺在展台上，有的锈迹斑斑，有的没生锈的，稍做整修甚至还可以使用，但是在现

代战场上，它们也只能是一堆无用的废铁而已，时间已经让它们变老，它们只能呆立在这里，空空地回忆着过去的辉煌，除此以外，什么都做不了。这多少让我有些感伤，想着和苏琳的日子，曾经以为是无比坚固，但是时间却让爱情变老，直到死去，再想将它提起时，却发现时过境迁，一切都只是惘然。

我走到许世友将军的专柜前，却忽然被震住了。许世友将军收藏的宝刀依然寒光闪闪，好像昨天还被将军钢筋铁骨的手用柔软的纱布擦过一般，这些刀仍然像刚磨过一样锋利，一刀就能将敌人砍成两段，时间并没有让它们变老，而那些曾经在陆地、海洋，甚至天空中不可一世的霸王们却只能在宝刀面前默默地哀叹自己的衰老。我笑了笑，忽然有了信心，原来时间并不是可以改变一切的。

我回去的时候顺便草草地在超市买了些生活用品，晚上就在那间不足十五平米的房间里住了下来。给朋友一条条地发短信，发了几下，手就开始酸了，心里怎么都觉得不爽，干脆把手机朝床上一摔，下楼买了张201电话卡打了起来。

我忽然想到还没给寝室里的兄弟报平安，就给寝室打了个电话，老大气喘吁吁地来接电话，我问怎么回事，老大愤愤不平地说："肖斯文这小子太不厚道了，晚上叫我帮忙搬家，最后居然还要我请吃饭。"

我嘿嘿笑了一声说："你这么雄壮的身躯怎么搬个家还这么费力啊。"老大说："你还说，整个电脑我一个人扛的，肖斯文就拎了两包棉絮。"我奇怪道："那你们怎么不叫老二来啊。"老大说："哎，说来话长，老二这小子有福啦，你们仨都能耐，就我这个老大还是孤家寡人。"说完憨憨地一笑，倒让我的心底泛起了一丝凄凉。我问老二到底怎么了，老大说："今天晚上一个民众乐园开店的神仙姐姐请他吃饭，我在网上看了那照片，可漂亮着呢。"老大言者无意，我却想到了徐琴，心里想着难受，随口丢了一句："什么神仙姐姐，王夫人还差不多。"老大好像还想解释，却被我草草打断了话头，说要赶着回去，把电话挂了。

实习的日子过得很平淡，却也多感触，北京城每天都有着新闻发生，每天又有无数猎奇的目光在报纸的每个角落里搜索着刺激他们激素分泌的字句。而报社楼下，却也常常聚集着上访的人群，他们举着满是错别字的纸牌，破旧的行囊里装着甚至是从家乡带来的干粮，心里除了无穷的酸楚，还千里迢迢带来了那些并不华丽的愿望，但是显然，这些并不华丽的愿望多半也注定会在这里破灭掉——毕竟这里是报社，而不是信访办。

有一次，一个老人带着哭腔操着家乡话在报社门口到处询问："有没有栏江的老乡，有没有栏江的老乡为我们伸冤？"那时我甚至清晰地记得他满脸皱纹，痛苦得近乎绝望的表情，白发苍苍，步履蹒跚地举着一块歪歪扭扭写满字的纸牌。从纸牌上我知道他惟一的儿子被村长打死，却告状无门，老伴一气之下也撒手人寰，他贱卖了所有的家产只身来北京，只想还死去的儿子一个公道。最后他被保安很礼貌地劝走了，告诉他这样的事情应该去信访办。我说我想帮帮他，老王却把我拉住，长叹了口气说，现在我们自己都管不了自己了，看多了就习惯了。我至今还忘不了他的那双眼睛，布满血丝，他最后看我的眼神里充满了哀伤，我却无能

为力地转过头去，逃避他最后一丝无助的目光。

在采访一个农民企业家的时候，我拿到了第一个红包，起初我并不敢拿，倒是老王向我点了点头，我才畏畏缩缩地收下，这算是我平生自己挣的第一笔钱，却感到滚烫滚烫的。老王告诉我，这是这个行业的惯例，就像做医生不收礼物，病人家属反而不开心一样，他甚至告诉我，还有过记者因为不拿红包被人殴打的案例，我笑了笑说，不收钱居然也挨打？老王则拍了拍我的肩膀："小汪啊，以后要学习的东西还很多啊。"

从那以后，我的收入很快多起来，心里盘算着如何攒笔钱回武汉给朋友们带些东西，而王康则从来没有问过老王的意思，每次都问也不问，就把红包朝兜里塞，我打心眼觉得他幼稚，直到我要卷着铺盖离开北京时，我才发现原来幼稚的是我。"王康很聪明，他把所有的红包都交给老王了。"临走时李舒这样告诉我。

38 无缘就此分离，有缘再次相聚

转眼一个多月过去了，北京的日子也越发让我难以忍受，隔壁的艺术青年总是带着不同的女人回来，那些声音让我深恶痛绝。有一次我出离愤怒了，用方言甩了一句："你妈个老×，要日给老子滚到发廊去搞。"结果不知道是因为他听不懂我的方言，还是根本就装没听见，或者是太忘我，居然毫无反应。第二天，还像我刚搬进去时那样友好地给我打招呼。我本来想劝他以后注意音量的话，也就被活生生咽了下去。

我又像那次那样换了几种骂法，有一次居然从他骂到他的孙子，又从他的孙子一直骂到他的祖宗十八代。但是第二天他依然故我，让我无从发泄。所以后来每到晚上我就会到公用电话那里用 201 卡打上几个小时的电话。三分之一是打给老大的，三分之一打给肖斯文，剩下三分之一打给其他朋友。

有一天，老大告诉我肖斯文最近每次回来都怪怪的，老二的事情也挺多的，然后感叹说："你小子到了北京和我说的话比在武汉还多。"我说那也没办法："北京找不到家的感觉，每每都会想到你们。"老大说那就好，然后给我讲起武

汉的见闻，他的实习比我轻松得多，因为要把更多的时间放在考研上。他告诉我武汉最近没什么新闻，倒是肖斯文跑得很勤快，应该知道不少事。

我又打电话给肖斯文，问肖斯文怎么想到一个人搬出去，肖斯文说因为离报社近啊，我说你小子倒是花花肠子多，还不是想着跟张艳在窝里淫乱，肖斯文说："你这是什么话啊，我现在住的地方离学校这么远，她想来还来不了呢。"我说那你小子不是完了，肖斯文笑了笑说："兄弟就放心吧，我就算住到火星都有女人陪。"我又问起老二的事情，他说说来话长，就先不提了吧，然后又告诉我，他看到卫婕和那个哈包帅哥在一起了，要不想想办法收拾一下，我淡淡地说我已经和她分了，别再提她了，然后说了声晚安，挂上了电话。

回到家里，却很不幸地看到艺术青年兼记者同志蓬着至少一个星期未洗的长发，带着一个看起来挺纯的女生来到房间里，很奇怪当时没有什么厌恶的感觉，倒是那个女生清纯的气质让我愣了一下，然后好像又想起点什么。艺术青年给我打招呼，我点头应了一声，不一会儿隔壁又响起高低有致的声音，那一晚他们似乎滚打了一夜，我清晰地感觉到艺术青年到后面已经是强弩之末，无奈地笑了笑，嚼了块口香糖塞住耳朵睡了。

记得初中的时候，喜欢上了一个对门上高中的姐姐，看起来很乖很纯的样子，直到有一天，我透过虚掩的半扇门，看见她光着身体，穿过我的视线，拎起一件男人的衣服，然后发现了我，又飞也似地关上门。这是我第一次看见一个女人的裸体，从此以后我见到这位邻居时总感觉怪怪的。后来在北京街头我又见到了那个艺术青年带来的看起来很纯的女孩子。不过很奇怪，我什么感觉也没有，甚至她给我一个暧昧的笑容，我都没有理会。

转眼到了8月，那时我看着窗外发呆，盘算着我的实习成绩不错，老王也是什么急难险重都交给我，显得对我很放心，心里想着签聘用合同的名单什么时候下来，一脸的踌躇满志。

而此时的肖斯文也同样望着窗外，又恢复到当年那种成竹在胸的表情，他已经从父亲倒台的阴影中彻底走了出来，不同的是他想得更多了，而此刻的老二则哭丧着脸，向他和老大发着脾气。

如果算起来，肖斯文搬家的那天，老二正在五月花和那个民众乐园的女人幽会。华丽的餐厅里，灯光让老二有些局促，他还是第一次来这样的地方，尽管肖斯文借给了他足够换三头牛的行头，老二说话还是有些前言不搭后语，偶尔还会心不在焉。

其实说起来老二是个很精致的年轻人，细皮嫩肉的，很斯文的样子，虽然比我和肖斯文年长，给人的感觉却还像个高中生。那天他跷班跑到民众乐园，却巧遇到这个女人，具体的情节我不大知道，因为老二不会和我讲，甚至连肖斯文是如何给老二帮闲我也不太清楚，所以，关于这一切全部都是我的臆测，讲给大家听听就可以了，至于到底是怎么回事，或许永远都是个谜。

老二的对面，坐着的是一个比他只大不了一岁的女人，大学还没毕业的时候，她就跟台湾老板在一起打得火热，大学毕业后台湾老板出钱在民众乐园租下了一间店铺，甚至连营业员都请好了，据说那个台湾老板每月五千元的生活费包

养她一年，帮她在常青花园租了一套三居室住房，添置了所有的电器，让她每天在家里看书看电视上网养宠物。她每天晚上会去民众收营业额，也每次都要请民众乐园里很多的人吃东西或者出去玩。

女人的眼睛里闪烁着暧昧的光，老二虽然早已过了面对女人还羞羞答答的年龄，但是面对对面的女人却明显有些不安。最后在惴惴中，摸着兜里两张被汗浸透的 100 块想抢着付账，看到账单的时候，却还是把手缩了回去。

那次约会并不成功，但是也并不失败，老二和那女人碰过几次头，也没有擦出什么所谓爱的火花。这种情况持续了一个多月，终于在我回去的前几天，老二按捺不住，在寝室里一个人哭。

肖斯文当天刚好回寝室，就看到老大在劝老二，疑惑间一听老二的话，就走到窗前，点了枝烟望着窗外。老大不是感情专家，拿老二一点办法也没有，于是就叫肖斯文来劝，肖斯文掐灭了烟头，像当年劝我一样，给老二做起了分析。

肖斯文很正经地分析道：你没有什么可以给她的，她却几次三番约你出来吃饭，大概还是因为最近要换男人了。然后肖斯文一下扯起了宏观，民众乐园里有很多这样的女人，他们被老板包养，生活寂寞空虚，所以要经常拿男人换口味，甚至说得明白一点，做爱是讲技巧的，如果生疏了，她们就会失宠，当然熟练技法的过程是不能让老板看到的，否则最先倒霉的还是那些药渣。最后肖斯文不怀好意地笑了笑："大概看你是个雏吧。"

老大显然不明白肖斯文这种劝法，不断地使眼色。老二却也无可奈何，问肖斯文应该怎么办，这么多次都不知道怎么开口，顶多只能搂搂抱抱什么的。肖斯文神秘地笑着说，要你练成我这样当然不可能，不过你可以用药啊，这样她昏昏地一躺，你就什么问题都解决了，这种药用起来就像在做梦一样。"春梦了无痕啊！"肖斯文坏坏地笑着说。

如果是平常，或者说只要是正常人听到这句话，多半会当成缓和气氛的玩笑一笑置之，但是当天的老二，却好像真的吃了什么药。他问肖斯文哪里有药，肖斯文起初还只是说："一瓶一百多，好贵的。"老二的脸色却越来越不像开玩笑了，肖斯文这才意识到老二也不是要说说而已，急忙说："我根本没这东西，只是逗你玩儿的。"

老二说："你到底有没有，没有你逗什么逗啊。"肖斯文一下被问急了，很快也露出了破绽："这个东西不能给你啊，会害死人的。"老二一听更是犯了小孩子气，把桌上本来就不多的几本书和讲义一胳膊全扫在地上，趴在桌上一个人嘤嘤地哭起来，嘴里念叨着："所有人都不帮我，我该怎么办。"

肖斯文一看不对劲，只有去劝，但还是劝不住，最后说这东西现在手头也没有，过几天给你吧。

本来以为肖斯文也只是说说而已，但是几天之后，肖斯文面无表情地把那个蜡封的小瓶交到老二手里的时候，连老大都吓得说不出话来。

"有时候生活就是荒唐，更可怕的是有人还把荒唐当作生活，或许这就是年轻的权利吧。"9月的一天，实习结束的日子临近，跑完一个姐弟乱伦的新闻后，老王请我和王康吃饭，我把这感叹说了出来。王康在一边点点头应和，老王却不置可否地笑了笑，然后拍拍我的肩膀说："你们现在可比

我们那时候想得多啊。"

　　那一天是我在北京最后的日子，也是老二最后绝望的日子，他冷冷地像个游魂一样来到寝室，什么话也没说，把那个褐色的小瓶随手丢在肖斯文床上，肖斯文担心这些宝贵的液体会流出来浪费掉，急忙从床上抓起来，这才发现蜡封依然是好好的。

　　"没用的，她根本不理我这一套。"老二冷冷地说："女人都是这个德行。"肖斯文过来劝他，他也不听，只是又小孩子气地在那里哭。这一次老大知道无能为力，干脆就不劝他了，肖斯文也知道无力回天，没有多说话，只是把那个小瓶继续揣在兜里，冷冷热热地劝了几句，我不知道那天老二到底发生了什么，肖斯文在电话里把老二的故事当笑话讲给我听，开始还在笑，后来就笑不出来了。

　　那时我脑袋里乱乱的，总觉得肖斯文太残忍，又觉得有些什么事情要发生，于是我向肖斯文问起苏琳，他说苏琳跟那洪都拉斯帅哥好像分了，具体怎么就不清楚了，反正苏琳没什么反应，大概他们俩根本就没在一起过。然后他忽然问我是不是还喜欢着苏琳，我随口说那你就别管了。只是觉得她太单纯，怕她被人欺负。肖斯文嘿嘿笑了一声，继续提起老二的事。

　　根据肖斯文的猜测，老二那天在吃饭的时候，一只手放在兜里，药瓶几乎被他捏破，他按着肖斯文教的意思，要带那女人一起去宾馆，但是那女人却轻蔑地朝他笑了笑："算了吧小弟弟，你还没学到家呢，还是跟姐姐学吧。"那天晚上老二应该是如愿以偿，却一点也不开心。因为他总是觉得有什么东西在拨弄他最敏感的一根神经，那一夜老二还没上阵就连上了几次厕所，后来又中途故障，被那女人啪地给了他一嘴巴。那一夜不欢而散之后，女人给老二打过几次电话，但是老二却一直都不敢接，偶尔接了也总是找一堆事情推脱，每每有朋友开起黄色玩笑，他也是面色铁青，一个人静静地避开。

肖斯文编的这个故事漏洞很多，却也不无道理，我听着忽然感到害怕，肖斯文大概是一下发现我这边冷场了，问我在不在听，我说听着呢，你讲吧。心却飞到了一边。老二其实是个可怜的人，本不该这样笑他，他从小父母就离异了，跟着奶奶长大，老人的溺爱代替不了父母的亲情，他变得敏感，时常希望寻找到寄托，起初是叶馨，后来又是那个民众乐园的女人，但是一旦触及到了他敏感的神经，就会失去控制，最后什么都得不到，只能继续地飘摇。

后来王洋退学回家的时候，马老二告诉我，在临退学那几天王洋没日没夜地打着游戏，一直到勒令他搬出寝室的那天，王洋依旧在梦话中喊着打啊、杀啊之类的话，听得人心里发寒。说这话时的马老二早就不做那种把全寝室赶出去玩通宵的勾当了，而是每天跟着老大一起去上自习，他告诉我，每个人都要有寄托，我问为什么是寄托不是理想呢？他笑了笑，这年代还有理想吗？不都是闲着没事做要找点事做？如果闲得受不了，第一个想做的事情，就是所谓的寄托。

这以后我一直在想这个所谓的寄托，老二的寄托是爱情，老大的寄托是读书，肖斯文的寄托不是爱情，也不是读书，却是另外一种不为外人所知的成就感，而我的寄托呢？我时常问自己，却又问不出答案，我又问自己到底最喜欢

谁，我也答不出来。在北京的日子里，我试图做过一件很有趣的事情，晚上抽着烟，回忆着往事，在日记本上涂涂画画，想到苏琳的时候就画一朵百合花，想到卫婕的时候就画一只鸟，想到徐琴的时候就画一只猫。结果那页笔记被画成了一幅画——在一片百合花丛中，几只扑腾着的猫试图去抓一群自由自在的小鸟。

我有些后怕，把那幅画撕下来，夹在一本翻烂了的《MAXIM》中，很久以后，再次翻开这本沾满污迹的书时，这幅画却不知道哪里去了。我的确在那之后就没翻过这本书，但是画真的不见了。我只有无奈地摇摇头，合上书，放回书架。

9月15日，实习结束了，我却早早地收拾好了行囊。我终究还是没能留在北京，王康倒把合同签了下来，还嚷嚷着要请客，老王拍着我的肩膀遗憾地说其实你很有希望的，没留下来真是可惜。我没有去吃王康的庆功宴，跟老王也只是随口恭维了几句，走的时候还是李舒来送我，她是我在北京最感谢的人，三个多月里给我帮了不少忙。她很抱歉地说合同的事没帮上忙，我说没什么，这里也没有什么值得留恋的。她无奈地笑了笑看着我，一定要把我送到火车站。我还是说不用，她又执意要给我握手，她的手比我想像的要细腻，我这才发现她其实是个挺漂亮的女孩子，公汽到站了，她恋恋不舍地微笑着，给我说再见，我应了声保重，就急着赶公汽去了。

北京的晚霞淡了，列车在黑夜里把这座城市抛得无影无踪。

39 当天空凄清的月光，在朦胧的幽径上流过

从北京回来的时候，本来想好好地在车上睡一觉，但是却发现怎么也睡不着，黑夜已经彻底占领了窗外的世界，一种突如其来的恐惧油然而生，我用毯子蒙着头，想着回学校还有手续要办，必须养足精神，于是随便翻出一本解梦的书不知所云地看起来。

这是我以往睡不着的时候，最经常用的办法。这本书是我在旧书店里买的，里面的文字还是手写小楷，看得不大分明，没看上几行就睡着了。我忽然间觉得似乎有人在叫我，回头一看是肖斯文，肖斯文示意我跟着他过去，我问他什么事，他什么也不说。于是我就从铺位上翻身下床，车里的灯光很昏暗，我有些摸不清楚，但是还是跌跌撞撞地跟着肖斯文朝前走，走到一个软卧车厢的那扇门时，肖斯文推门进去，我却看见徐琴站在那里，还是当初的那身打扮。

"其实这不是一场梦，你却太不认真了。"徐琴神秘地笑了笑，对我说。"你说什么?"我一脸茫然地问，却发现背后有人拍我的肩膀。转过头去发现卫婕失望地看着我："你还是长不大，我对你一点办法也没有。"我更加茫然地看着卫

婕："你们，你们怎么都在这里。"

"其实我一直觉得你很够哥们，只是对于女人，你实在不像个男人。"老大坐在车厢接缝的另一个角落很认真地对我说，我还没反应清楚，却看见老二从洗手间出来，一脸无奈："我一直觉得自己很笨，但是其实你比我更笨。"我不知所措地摇摇头，我再回头，卫婕却已经不在了，环顾四周，老大，老二，还有徐琴也消失了。

恐惧开始弥漫在整个车厢，车厢里的灯更暗了，发着幽幽的红光，像一群怪兽的眼睛。我拼命地朝前跑，但是那扇门却如影随形，怎么甩也甩不掉。王洋从一个卧铺的毯子里钻出头来："谢谢你卖给我的电脑，现在天天听你的桃色新闻，可开心啦。"话刚说完马老二一只手把王洋的头压下去："其实你丫名声在外面臭死了，你还自以为是什么好鸟。"赵志刚却忽然走过来继续那种目露精光的笑："其实你是个不错的小伙子，就是命不太好。"我转身看见那扇门还在身后，急忙推开门，希望能有一个逃生的场所，却发现门里是一间小屋，粗糙的墙壁，阳光刺眼地从窗户的缝隙射进来，所有人都呆呆地站在那里，围绕着一张洁白的床。苏琳静静地躺在床上，所有的一切都是如此的静穆，像一个宗教仪式。

一个蒙面的刽子手举着一柄巨大的斧头站在床前，斧头高高地举起，劈向苏琳，一团冰凉的血溅在我脸上，我却感觉发烫。

我猛然醒来，却发现天已经大亮了，车已经到了武汉的郊区，这里曾经是张明高的杀人地方。武汉是一个很奇怪的地方，所有的列车都会在这同一个城市至少停留两次，一次停汉口，一次停武昌，早期的慢车还会在汉阳眷顾一下，巨大的太阳照着车床，照得皮肤有些疼，但是身上却还是感觉冷冷的，大概是空调太低的缘故吧，我打了个寒颤。

　　肖斯文和老大早早地过来接我，一见我就问我怎么面色铁青，我没跟他们说我做梦的事，只是说不大舒服，刚回武汉气温有点不适应。的确，刚下车的时候，一开车门就是一股热浪，差点把我掀翻。老大说，这倒也是，武汉最近的确热得有些不太正常，不过也挺好，都在实习，空调房里一坐，也不觉得什么了。我问起肖斯文在报社附近租的房子，肖斯文还是像我临走时候那样心不在焉，一会说那房子热，一会说晚上风特别大，最后才切入正题，说实习完了，马上就搬回寝室了。老大在一旁补充说，老二也要搬回来住了，想不到到了大四，咱们这四兄弟才团圆。

　　老大说这话我才想起已经大四了，我回学校办完手续，一直忙到晚上才得以安身。第二天，肖斯文就把行李搬了回来，老二在他两个小时后也提着两个大包回到寝室，那一晚，我们开始了已经中断两年的四人卧谈会。老二听着我们高谈阔论，不时嗯嗯啊啊一下表示在听，也不发表什么意见，似乎生怕一说话就扯到他的糗事，老大的话题又总是冷场，话题还是肖斯文负责带来带去，肖斯文说他决定考研，把我们吓了一大跳，老大连声夸肖斯文有志气，然后隔着蚊帐说："汪平啊，你走的日子，肖斯文可没少为你的事费心呢。"肖斯文连声说："哪里哪里，帮兄弟是份内的事。"老大又说开了，一段时间肖斯文总是和张艳还有苏琳三个人去逛街，卫婕那边也没少去劝，说完这些，然后就开始批评我："你这人也是的，一点事闹完别扭，转身就走了。去北京换了号也不跟人家说一声，分开了，也不能这么绝情吧。"

老大一说这事情我还真的忘了，我问肖斯文把我的号告诉卫婕没有啊？肖斯文咕哝着说："你又没跟我说要告诉她，所以我就没说啊。"我问肖斯文卫婕说我什么了，肖斯文说，还能有什么，无非就是说你太绝情了什么的。我有些不快，挥挥手说，不谈这个，谈点别的。老大就开始哀叹，想不到刚聚到一起就要分开了，学新闻的真是悲哀，在大学的日子比其他专业都短，不知道一年后，大家都会去什么地方。

老大说完这话，所有人都静了下来。窗外的月光洒进来，从四张朦胧的脸上流过。

40 给自己挖一个坟墓，只是为了热望的死

大四的新闻学院里，离别的情绪提前开始了蔓延，有的人已经签约，留下的人也大多数在混日子，被压抑已久的亢奋一点点被释放，寝室一熄灯，塑料桶和开水瓶就会漫天飞舞，偶尔保卫科的胖科长也会带着一帮校警来查，但却每次都因为法不责众，铩羽而归。后来寝室里不停电了，就到处弥漫着酒味和烟味，还有木头和棉布被烧糊的气味。到11月的时候，天气已经有些冷了，这栋楼里已经没有几个寝室有完整的桌椅了。

我们寝室是少有的几个桌椅齐全的寝室之一，寝室在慵懒之中又有些麻木。除了老二，我们已经没有什么重修的科目了，每次喊肖斯文出去喝酒，他都说要陪张艳，老大的事情也多起来，去导师家吃饭的次数越来越频繁，我更不可能去叫为重修而挣扎的老二，那段时间我经常一个人坐着发呆，望着窗外静静地点上一枝烟。

忽然有一天，我看到肖斯文回来，我说肖斯文啊，我现在好想去找苏琳。他说好，然后又说不妥，苏琳还是跟那留学生若即若离的，你去了事情就更麻烦了，我说这麻烦什么，苏琳本来就是我的。肖斯文说，你也知道那家伙是五毒

年华若樱

俱全，又是外国人，打了你白打，到时候乱七八糟的事情扯不清楚，肯定是你吃亏，搞不好还毕不了业。我说这都是什么跟什么啊，肖斯文则在我前面犯起横来，说你这家伙就是不听劝，反正我在你就不能去找苏琳，再说了，苏琳是要跟人出国去的，你能给她什么，你搀和什么搀和！

肖斯文那天把我说得有点急，但说的似乎也都是实话，让我无可奈何，肖斯文笑了笑，其实徐琴不错，如果觉得需要，你去找找她吧。那时的肖斯文并不知道我和徐琴发生了什么事，我也没当着他说，只是叹了口气说，别他妈再扯这些烂事，老子心里烦。

肖斯文也不多劝我，换身衣服出去练长跑了，寝室里又只剩下我一个人。一阵冷风吹来，我哆嗦着掏出烟点上，好像凉意是从心里冒出来的。从北京回来，寝室的兄弟团圆以后，这种感觉反而更强烈，我的手机除了父母偶尔打过来，已经没有什么人给我打电话了。我看了看手机，电已经空了，也懒得换电池，直接朝床上一丢，在老大的书架上随便找了本书漫无目的地翻看着。

电话忽然响了，是徐琴打来的，我问她什么事，她说："没什么啦，想找你出来坐坐。"我有些不耐烦地说："今天还有点事，不出来了。"她却说："只是出来坐坐，不需要找借口躲着我吧。"我正要解释点什么，她却忽然打断了："晚上七点，你们学校门口大嘴巴见，就这么多了，不见不散。"我刚想解释，手机却滴滴响了两声，没电了。我看了看寝室的挂钟，已经六点半了，无奈地摇摇头，下了楼。

一路上我想了一大堆要跟徐琴说的话，核心是希望徐琴再也不要来找我了，我想好好地安静一段日子。下楼的时候语言就组织得差不多了，一路上都在背诵那几句话，但是到了酒吧，找到徐琴的时候，还是有些忘词。徐琴似乎并不介意，喊我坐下，我坐下以后她就开始问我在北京实习得如何，我应和了几句，好半天才回忆起要说的话。

"其实我觉得我们在一起的时候，都非常了解对方，我也知道我们之间是如何想的，"我欲盖弥彰地装作一副很镇静的样子，喝了一大口啤酒继续说，"或许我们之间真的没有什么，只是那种……"我一下说话找不着词了，想了半天才把原来看的一个网络小说的名字安进去："就是那种一夜情不够，就多夜情的关系，或许除了那个什么，我们之间没有任何契约需要遵守。"我闭上眼睛深叹了一口气："但是我真的无法接受那种只有 sex 的感觉，我实在不能接受你除了我以外还有其他男人的感觉"，我一口气说完，松了口气，又喝了一大口啤酒："所以我想……"

"就这么多了？"徐琴抢过我的话头，一脸茫然，眼睛里却闪过猫一样狡狯的光，我一时语塞，她却很干脆地说："说完了就跟我走吧，来不来随你。"我泄气地低下头，又看着她起身，只有无奈地跟在她后面，等着结完账，然后坐上她的车，麻木地看着窗外，无奈地捋了下自己的头发，深叹了口气。

那天晚上，我显得手忙脚乱，一点也没有了往日的雄风，心里老是有个结，一口气憋在胸前，手忙脚乱。

我后来只能看着徐琴潮红的脸，自己一个人坐在一旁发呆，她找我要，却被我推开，我什么话也没说，坐在冰凉的大理石窗台上，一个人抽着烟望着窗外，所有的过去都不会再重复。当初在这张床上，曾经有过一生最暧昧最疯狂的经

历，比起跟卫婕，徐琴给了我更多肉体的快感，总让我在无意中回味，但是这都不是爱。当我明白的时候，我连最后一丝原始的欲望都没有了。

我忽然感到害怕，连忙穿上衣服，徐琴问我干什么，我说我要走了，她拉着我的手不让我走，我说："我非走不可，这里不是我待的地方。"她柔软的身体赤裸着贴在我背后问："就不能明天早上再走么？"我深叹了一口气，看着她的眼睛说："不用了，我怕我等不到明天早上，我先走了。"我把最后四个字咬了几遍，她赶忙穿着衣服，但是还没等她穿完，我就关门飞也似地跑下楼了。

我不知道是第几次像这样半夜如游魂一般在外面漫无目的地行走，几个巡逻的联防凶巴巴地叫住我，我拿出学生证给他们看以后，他们又语重心长地教训了我几句，我无奈地摇摇头，晃进学校，晃到寝室楼下。寝室一直没有熄灯，偶尔还有鬼哭狼嚎的歌声毫无秩序地从楼里传出来。

寝室楼下的大门还开着，我晃回了寝室，倒头就睡。

41 但有一天，风波突起，忧虑烦恼都到了 (Und ein bisschen Kummer bloss., Aber einmal kommt ein Morgen, und da sind sie beide gross!)

日子就这样过去，这段日子我再也没有找过任何人，每天都像羽毛一样飘过，我没有去图书馆看书，也没有去自习，每天故意错开时间，怕在路上碰到卫婕，其实我很想碰到苏琳，跟她说点什么，张艳跟肖斯文在一起，肖斯文不准我去找苏琳，我连打听苏琳的消息都显得不好意思，而我当然更不会去找徐琴，所以这段时间我一个人过，不时会有惆怅，但是时间是很磨人的，几个月时间我天天就这样过，成了习惯，竟然也感觉不到什么了。

惟一有关女人的事情就是，老二总是嘻嘻哈哈找我要徐琴的电话，我当然不会给他，总是给他打着哈哈，直到有一次我实在被问烦了，把他一把掼到地上他才老实下来。除此以外，我一直是一个人孤独地每天和寝室的兄弟们吹牛，偶尔喝酒，也每每都喝得不尽兴。日子过得郁闷，总想找点什么来滋润，因为不去图书馆，所以跟老二那台二手黑白电视交上了朋友。

12月19日，曾经在荆州枪杀民警的匪徒孙浩龙和他患了性病的侄儿在抢劫中百的营业员后被群众围剿，先后被擒，成为本地的头条新闻。四年前的1999年11月，他在荆

州杀警察的时候，我正上高三，作案的现场与我的学校只有一条街的距离，当时他用一把自制的土制手枪给了一个在音像店闲逛的巡警后脑一枪，然后在一个僻静的角落里埋好枪，从容出逃。这个案子曾经让整个荆州城为之战栗，那时，我的同桌是个很柔弱很小巧的女生，有一天她红着脸问我能不能送她回家，我点点头答应了，从那以后我天天送她回家，踏着冷清的街道，穿过长满青苔的城墙，走进幽深的小巷，把她送到楼下，然后翻墙回寝室。那一年，青涩的岁月里还挂着早晨的露珠，心里想着，却迟迟不敢表白。7月，高考拿成绩那天，正是我的生日，我带着三朵玫瑰等她，却没有等到，后来我才知道她已经出国了，在我军训结束的时候，收到一张她从奥克兰寄来的风景明信片，此后就再也没有了消息。

孙浩龙抢中百的那天，我们围着老二从他出租房里搬来的二手莺歌电视机看着新闻，围捕的群众在被采访时一个个眉飞色舞，讲到孙浩龙边逃跑边开枪时，颇有些"谈笑间，樯橹灰飞烟灭"的气概。"为了一万块钱，这样值得吗？"老二忽然问。"人急了不都这样啊。"老大看着电视感叹道。肖斯文一脸疲惫走进来，老大问他怎么了，他含含混混地说给张艳送饭去了。我问是不是张艳病了，肖斯文看着电视好像没听见，我想接着问，这时我的电话却响了。

电话是张艳打来的，叫我赶快来中南医院，我问什么事，她的语气显得很焦急："苏琳怀孕了，赶快来。"这句话让我如五雷轰顶，差点硬生生地倒在地上。

"哪个病房，你等着，我马上到。"我几乎咬着牙说。寝室外就是凌波门，出凌波门打个的士，一路催着司机快点，但是狭窄弯曲的环湖路上，人车挤成一团，我急得要骂人，到了中南医院，丢给司机十块钱，没等找钱就直接跑进住院部大楼，我在楼下焦急地等着电梯，发疯似地按着按钮，似乎等了一个世纪电梯都没下来，一气之下我干脆从楼梯上跑上去。

我赶到病房时，张艳把我拉到一边，说苏琳已经哭了一天了，一直叫你过来。我问张艳是谁干的，张艳说苏琳一直都不说，只是在那里哭，叫你过来。我说肖斯文怎么不告诉我这事。张艳说："他没跟你说吗？我想大概是害怕你去找那留学生吧。"我摇摇头，说先别管这些，带我去看看苏琳。

苏琳在病床上哭，床头柜上还放着一束花，她肿着双眼，脸色因为刚做完手术而苍白，苏琳一向身体不好，这一次一定又吃了不少苦，我坐在她床前，她看见我，吃力地坐起来，紧紧地搂住我不放，我痛苦地闭上眼睛，希望眼泪不要流出来，但是根本止不住，泪水在那一刹那崩溃了，眼泪流下来，润湿了苏琳披散的长发。我抱着苏琳，一时竟不知道说什么好。

"我一直在等你来，"苏琳抽噎着说，"你怎么现在才来。""我现在不是来了吗"，泪水模糊着我的眼睛，我的脸贴在苏琳柔滑的长发上，眼睛却望着窗外："一切都会好的，一切都会过去的。"我痛苦地扶住苏琳的肩膀，想看着她的眼睛，眼泪却模糊了我的世界："都是我的错，都是我的错。"我无力地想松开坐下，却被苏琳抱得更紧了。

我的眼睛里忽然燃满了火："苏琳，不管你答不答应，无论是谁做的，我都不会放过他。"我的眼睛落在床头柜的

那束花上，想必一定是那洪都拉斯的家伙送的，我心里诅咒着，拳头攥得紧紧的，我多想把那束虚伪的花折得粉碎扔在地上，但是怕苏琳伤心，怒火刹那间又被泪水浇灭。

"不要！"苏琳泣不成声地对我说，我问她说什么，她说："不要这样，不要冲动，答应我好吗。""好吧，我答应你，我不冲动，再给我一次爱你的机会好吗？"我哽咽着，心海中浮现着和苏琳曾经的点滴，竟然无言。

"抱紧我好吗？"我没有回答，只是把她抱得更紧了，夜开始一步步降临，她在我怀中，我的回忆从第一次邂逅开始蔓延，我又想起从北京回来时的那个梦，每个人的脸在梦中都如此清晰，甚至那一缕鲜血在我脸上火辣辣的感觉都一直持续到了现在。我心中在诅咒着，但是却一寸寸被撕裂。

苏琳跟我在一起的时候一直是一个很乖的女孩，有几次特别激动，但是到了关键时刻我都被她的纯洁所撼动，让我不忍心去破坏她，希望她永远像个小姑娘那样单纯，但是我已经做不到了，尽管已经分手，但是她最需要我的时候，我却无所作为。我一拳砸在医院粗糙的墙上，拳头鲜血淋漓，却比不上心中翻腾的痛苦。一小时后，苏琳却在我肩膀上睡着了，甜甜的，像个婴儿，眼泪也停住了，我缓缓地放下她，掖好被子，这才发现张艳若有所思在旁边站了好久。

"帮我好好地照顾苏琳。"我痛苦地对张艳说完，咬着牙下楼，跌跌撞撞回到寝室。路上的风景似乎与我无关，路上的行人也与我无关，我脑子里闪过无数的念头，但是总是转瞬即逝，混沌的思想让这些念头都变得混沌，让我不知道该做什么好。放鸽台依旧，东湖的水却悲伤地泛起点点涟漪；环湖的路灯倒映其中，像一双双愤怒的眼睛，湖边木质的走廊也在我脚步下沙沙作响，像在默默地哭泣；远处的磨山在黑夜中穿破层层的黑雾，如一只握紧的拳头。

那天回到寝室的时候，我一把推开寝室门，三个人都没睡，我看见肖斯文站在那里，二话不说朝他胸口猛推了一把，肖斯文一个趔趄没有站住，倒在地上，眼里泛起一丝恐惧。我感觉胸中有一团火，似乎这团火会爆炸，会伤到每个身边的人，但是那时，我根本顾不得这么多。

"你他妈的，苏琳这么大的事，你不告诉我?！"我没有去扶他，更没有对他道歉，而是气吼吼地瞪着他，他却似乎轻松了一些，拍了拍身上的灰："你冷静一点好不好，我这不都是为了你好。"

我的火气小了些，也没动手了，老大和老二在一旁呆呆地愣着，一时不知道该怎么样才好。"为了我好，出了事把我蒙在鼓里就是为我好?"肖斯文顿了一下："我还不是怕你做傻事，你的脾气一冲动了，就不知道会做些什么?"

"做傻事？也比他妈的做傻逼好，我问你，这事谁干的?"我斜着脑袋，一股无名火继续燃烧着，几乎让我的身体都不受支配，我歪斜着坐下来，这才感到全身无力，喘着气说："他妈的，你告诉我，谁欺负苏琳的。"肖斯文在一边欲言又止，遮遮掩掩的让我很是不快，我一把把一个杯子砸在地上，在肖斯文脚下摔得粉碎："你他妈还跟我装孙子，你到底说不说。"

肖斯文连忙摆摆手，示意我不要冲动，却又不敢上前，说着话都结结巴巴："汪平，你千万，千万别冲动，这事得从长从长计议。"我一把把桌上的书全推在地上："从长你老妈，你他妈的从头到尾跟我说什么这不能见，那不行的，现

在他妈的出事了，你还跟我卖关子?!"我肆无忌惮地指着肖斯文的鼻子骂，他却耷拉着头，半晌才抬起来说："汪平，你千万别激动，这事不是我们惹得起的，你千万要冷静啊。"老大从床上穿鞋下来，什么话也没说，只是拿起簸箕和扫把默默地扫着地上的玻璃碴，老二也走下来，什么话都没说，默默收拾着地上散落的书。

寝室里一下子安静了好多，肖斯文也不说话，我也不说话，老二和老大还是不说话。过了很长时间，我站起来很冷静地问肖斯文："是不是那个留学生干的?"肖斯文未置可否，只是说："汪平，你别这样，有话好好说就行了。"

我揶揄着点点头，眼睛里噙着泪，拳头却攥得紧紧的："好，好好说，他妈的，我好好说了这么长时间，结果该走的全走了，我什么都没有了，只有苏琳给我牵挂一下，天天想着她好，想着她平安，你说叫我不要去找她，我就没去，总害怕她会因为我而伤心。但是现在，事情都成这样了，我他妈还能好好说吗? 我都已经到了绝路，你知道吗?"

老大和老二都站在那里不动，肖斯文也是过了好长时间才说话："这些都会过去的，你别想这么多了。"

"好，过去是吧，那就让一切都过去吧。"我的眼前一片血红，愤怒的火焰再次填满了我的理智，我操起桌上一把水果刀："不就他妈烂命一条吗? 老子不要了，老子拼了!!"操起水果刀我就出了寝室。

我记得那时候我没有走几步，就被老大架住了。老大的双手紧紧箍住我，让我无法动弹，我拼命地叫嚷着，挣扎着，却一点用都没有，忽然老大痛苦地叫了一声，把我松开，我猛然一醒，回头一看，老大胳膊上一条长长的口子，血染红了他整个袖子，老二和肖斯文赶紧出来给老大包扎，我也丢下刀子，一下清醒了好多，跟着一起把老大送到了学校医院。

所有人都没有责怪我，我给老大道歉，老大只是憨憨一笑："你没做傻事就好，我这点伤算得了什么啊。"这让我很是不快，后来我们都没谈这件事了，外面问什么事，都说只是一群人闹着玩什么的搪塞一下。

老大那次其实帮了我大忙，有一次，我看见一个老外在酒吧里调戏女生，被一个爱国的小流氓扁了一顿，那个女生的同伴叫来了警察，结果警察却二话不说，把爱国小流氓打了一顿铐走……当时那一幕我想得有些后怕，如果那天不是老大，我想我绝对没有机会坐在这里，更没有机会给大家讲起我的这些故事。

老大被我捅的伤很快就好了，我那几天天天去看苏琳，但是张艳却执意不让我多守，苏琳住院观察了一个星期就这样过去了。四年来，我第一次尝试一个人过圣诞节的滋味，事实上我一直对节日不敏感，大概是因为太散漫，所以过节跟不过节并没有什么区别，以往的五一、国庆，我都只是出去逛逛街而已，那天我执意要多陪一会苏琳，张艳却在一边没给我好脸色，我说："你不去陪肖斯文吗？"她只是一笑，说肖斯文天天都在过圣诞节，今天也不缺我这一个。

我不好多问，只有悻悻地回到寝室。张艳自从和肖斯文在一起之后变了很多，肖斯文的老爸倒台之后她更是跟着肖斯文一起变得阴郁起来。这也可能是我多心，因为从跟卫婕在一起以后，她总是跟肖斯文在一起，遇到的机会少了很多，但是我可以看出来，现在的她早已不似和肖斯文刚认识

时那般亲密，具体发生了什么我不知道，也不想知道，正如那个同事所说："生活啊，你只需知道概况，不能深究细节，把一切都看清楚了，活着也挺没劲的。"

那天我一个人在过圣诞节。老大和他的基督徒导师一起在教堂过了一个真正的圣诞节，老二不知所踪，不知道他到底干什么去了，我喊肖斯文出去喝酒，肖斯文说算了，心里堵得慌，总觉得有事情要发生，我没有勉强他，只是说那天晚上太冲动，不要放在心上。我一人在天台抽着烟，身边摆着两罐百威，天边的夕阳淡了，又是一个黑夜。

这栋寝室的天台到了冬天的晚上就很少有人上来了，传说这里的冬天到了晚上总有个穿着羽绒服跳绳的小姑娘，边跳绳边数着数：……96，97，98，99，101……如果有好奇的人想上去问，就会从楼上跌下去，成为第100个牺牲者。小女孩就会继续数：……97，98，99，100，101……

据说每年这栋楼都会有人跳楼，但是我来了以后却从来没见过。到了夏天，每每都有无数的人站在楼顶，看着对面穿着清凉的女生吹着口哨，偶尔也会把望远镜带来偷窥，却发现对面的女生也穿着睡衣，用望远镜看着这边的男生。对面楼如果不熄灯，还会有人带着扑克和啤酒上来，一片喧闹，一点也不像个闹鬼的地方。

我一个人孤独地回忆着，寝室的生活或许不会再有，就好像肖斯文的老爸，再也不会风光地在谈笑间吃掉整间整间的教室。而在我回忆的时候，肖斯文的老爸正在受着进监狱以后最痛苦的煎熬。

这个故事是一个在佛山监狱做狱警的同级校友后来到广州出差在酒桌上给我讲的。在圣诞节那天，肖斯文老爸的那间号子来了一个身高一米九三，比老大还壮的圣诞老人，居然还是肖斯文他家乡的，作为号子里惟一的有钱人，肖斯文的老爸进了监狱并没有吃多少苦，相反还因为家里送来的大把大把的钞票，做了那间号子的老大。晚上，肖斯文的老爸在厕所里想拉拢一下这位强壮的老乡，圣诞老人却不为他给的精品云烟所诱惑，而是冷冷地笑了笑："我的今天可全拜肖县长你所赐啊。"这壮汉原本是曾经呼风唤雨的肖县长治下一个贫困乡的有为青年，承包了村里所有的荒山，贷款买了种子，刚让荒山变绿，却被肖县长相中修了度假村，征地的补偿也霸道得出奇，眼看连贷款利息都还不上，有为青年来到县里伸冤，却被县长大人大手一挥，拉到公安局一顿暴打，此人一气之下铤而走险，到广东花花世界做起了无本买卖，最终在圣诞节那天去了当年县太爷蹲的号子里做了圣诞老人。

这位圣诞老人给当年的县太爷带来了一份不错的圣诞礼物——肖斯文的老爸在地狱般的三个小时之后终于得偿所愿，提前保外就医，但那肥胖的身躯从此却再也没能站起来。圣诞老人则在痛苦地砸断了那副大号铜手铐后成功越狱，从此不见踪影。这个新闻在监狱系统里是作为典型案例拿来给人学习的，所以我也能有幸在千里之外了解到当初我所不知道的一切。"出来混，迟早是要还的。"狱卒朋友笑呵呵地说完，干光了杯子里的半杯枝江大曲。

在之后的日子里，肖斯文好像又变得消沉，张艳也多少一副夫妻相，脸色难看得让我害怕。我没敢跟她多说话，每次跟她联系也是叫苏琳一起出去散心什么的，我每次说一起去她都说不用了，我也没勉强她，毕竟我感觉跟苏琳分开的

时间太长了，需要更多的时间两个人单独在一起。

苏琳出院以后我几次找她一起逛街什么的，日子好像又回到大一的时候，但是不同的是苏琳的话少了很多，好像有事瞒着我，偶尔扯点别的，话题又说不到一起，我有一次试探着问她跟洪都拉斯帅哥怎么样了，她说只是普通朋友，然后又问起徐琴，我说她也只是普通朋友，然后说："这一两年，发生的事情太多了，都不要去想了，想想现在就好。"苏琳浅浅地笑了笑，依偎在我怀里，什么也没说，我却感到了冷。

而那个洪都拉斯帅哥，在校园里见过几次，有几次还在苏琳楼下等，还很礼貌地给我打招呼，但是我都没有理他，我很奇怪他居然还这样厚着脸皮来找苏琳，或许先上车后买票，生米煮成熟饭之类的事情在他的国度里是理所当然的，但是显然，这不是我们所能接受的。肖斯文告诉我，他和苏琳是在一次联谊的时候认识的；而张艳却告诉我，他人很不错，每次追苏琳追得很紧，做事却也很有分寸；老二又告诉我，那家伙是个在夜总会叫鸡的混蛋。但是后来苏琳怀孕之后再问起来，谁都不去提这个长得像马拉多纳的美洲帅哥了，以至于他到底是个什么样的人，到现在还是一个谜。

关于卫婕，我已经很久没有提到她了，事实上整个学期，只有一次和苏琳在学校散步的时候我跟她说过话，其他时候看到她，她似乎都在等人，却从来都只看到她一个人，那一次我跟苏琳说有事情跟人说，叫她在一边等着，我把最后一片拼图给了卫婕，很坦白地告诉她，这片拼图是我故意藏着的，她冷冷地接过拼图，没有对我说什么话，刚走出去几步，却又回眸看了我一眼，似乎想说什么，却什么也没说，只是叹了口气看看我，最后头也不回地走了。

　　真正最后一次见到卫婕，或者说见到她的新男朋友，是在班上的散伙宴。班上三十多个人订了四桌，却坐得稀稀拉拉，好多人走了，好多人没来。其实我也不打算来的，我说我平时上课去得少，班上说话也不多，搞不好现在还有叫不出名字的，去了也没意思，老大却硬拉着我去，我最后还是去了。小观园里还是那个样子，大学四年，我都不记得在里面吃过多少顿饭。这里，曾经发生过无数的故事，我知道的，或者是不知道的，酒精，还有笑容和眼泪都曾经在这里挥发。每天，小观园还是充溢着相聚和离别——邻桌的几个家伙还没喝到三分钟就有些高了，频频过来敬酒，但是通红的脸上还是掩藏不了即将离去的哀伤。我和老大喝着闷酒，不时应着邻桌敬过来的酒，糊涂中叫错了名字还被逼着罚上几杯，老大要我出去敬酒，我却说算了，不舒服。

　　那时，卫婕就坐在不远处的一张桌子上，我的余光就扫到了她，但是她却似乎没有看见我，她的对面坐着一个有些倦容的中年男人，教天文学选修课的，在那所遥远的名牌大学里，这位有志青年怀着一腔热血放弃出国的大好机会想着来莫大为中国的登月计划添砖加瓦，却阴差阳错地教起了选修课，他每天都在失意中用 2B 铅笔和小提琴麻醉自己，不过据说他的画很烂，刚来这所学校的时候，还和有着同样爱好的卫婕还有一群美院的家伙在一起交流过，有时候我一直在想，这个不幸来教选修课的高才生比我幸福得多，因为卫婕从来没有拉琴给我听过。

　　一个哥们提着酒瓶不清不楚地要和我对着瓶子吹，老大刚要阻止，我却一饮而尽，老大问我怎么了，我说没事，老

大却诡秘地笑了，倒了杯酒走到卫婕跟前递过去，我这才意识到老大原来也看到了卫婕。散伙饭本来吃得并不开心，而卫婕的出现又一次宣告这段爱情彻底地灰飞烟灭，我看着卫婕，卫婕也看着我，一时间都呆立在那里，过了好长时间，卫婕才打破沉默，拿着杯子朝老大点点头，然后对我说："这杯酒为你饯行吧。"她笑得很灿烂，显得心情愉快，我走过去和她碰杯，然后把杯子里的酒一饮而尽。天文老师显得很谦和，握手的时候我却感到有些憋屈。他说卫婕经常提起你，你可得感谢我啊，平常没来上课，我可是给了你及格的。我听着脸上发烫，卫婕却半开玩笑地说："怎么样，有没有找到更好的。"我笑了笑说估计不可能了，她却说要有信心，然后很认真地说："总之，祝你幸福吧，希望能找个好好照顾你的人。"我想着有些难过，本想是想说句玩笑的，话到嘴边却哽咽着了："你走了，谁来照顾我啊。"天文老师的面色有些难看，我跟班长说不舒服，先走了。一下楼，眼泪就滴了下来。

据说他画过一幅卫婕的画像，是不是就是当初卫婕为了装拼图而撤掉的那幅我就不知道了，只知道据说他为卫婕保研的事情帮了不少忙，后来又听说现在在筹划着结婚。不过总之我再也没见过卫婕了，不过我可以肯定，她现在一定比和我在一起的时候幸福。

时间就这样很快过去，寒假里，老妈问我卫婕这女孩现在怎么样了，我说还行，就这样吧。老妈一再叮嘱我好女孩子一定要珍惜。每次听到这话，我心里都在疼，却又不敢说。

在家的时候，星空无比灿烂，比起在徐琴楼下那一夜看

221

到的更加灿烂，它们每一颗都比太阳更火热，却因为离我们太远无法感受它们的炽热——难道距离真的让我们不知道其所以然吗？时间也许会改变一切，军博里的那些威武的破烂，还有小唐的墓前无人清扫的杂草。

我年三十给唐波上灯时，墓地里沸腾着各式的鞭炮声，只有唐波的墓前冷冷清清，他们家已经被迫搬到了外地，而当初的那群兄弟据说坐牢的坐牢，跑反的跑反，更听说黑道放出话来，要让唐波死了都没人送饭。总之年三十小唐的坟前，一个人都没有来。我倒宁愿相信这不是所谓的情势所逼，而是时间让人情变得冷漠。那天我安全地回到家里吃年夜饭，什么也没说，整个年过得都不开心。

42 THE SOUND OF SILENCE

大四下学期开学，正如我所想到的，寝室空了很多。不少人已经去上班了，等着拿毕业证，与二三类学校相比，莫大的学生最大的区别就是不用去愁饭碗，但是苍凉的寝室却让我们又一次感到了冷，我一开学就去找苏琳，张艳告诉我，苏琳这个学期没有来，我问她怎么了，她说苏琳家已经为她准备好了出国的事，学校的手续他家里人已经给她办妥了。我又问苏琳怎么没告诉我，她笑了笑说："告诉你又能怎样？你留得住她吗？"我无言以对，只是对张艳的尖刻有些不快，摇摇头就走了。

苏琳去了哪里，我一直都不知道，问张艳，张艳也说不知道，打她的手机早就停机了，打她家里的电话，那头却告诉我她家已经搬家了，我曾经试图靠全国各地的朋友去找她，甚至在网上用人民币悬赏关于她下落的消息。各种不同的消息通过不同渠道传来，有的说她去了美国，有的说在法国的地铁里看到过她，有的说在尼日利亚采风的时候见到她跟一群黑人小孩做游戏，又有人说她没有出成国，现在在武汉的某家公司里上班，还有人说在北京看到她和东交民巷换外汇的家伙在一起。她到底在哪里，她过得好不好，我都无从知道，我只是希望，希望有一天能再见到她，至于说什么，做什么，我都没有想过。

情人节那天我又是一个人过的，指望苏琳给我发短信，也没收到，倒是徐琴给我打来了电话，我一看是她打的，想了一下还是挂掉了，我接着收到她的短信，她说没什么事，只是祝你节日快乐，希望看到短信的时候我能开心。我苦笑了一下，想说也祝她快乐，但是字打到一半，还是删了。

那段日子，肖斯文依旧每天在寝室里闲逛，也没急着去找工作什么的，老二的重修还有最后一门要忙，老大告诉我们，他保研的事情已经下来了，要请我们吃饭，那是我最后一次跟寝室的兄弟一起聚餐，半斤大曲下肚，肖斯文又一次目露精光，口里呢喃地称自己为朕，还不忘记叫周围的食客"众爱卿平升"。老大给我们讲着导师的女儿如何漂亮，对他如何体贴。说得如痴如醉，却也没去管肖斯文的酒疯。

那天肖斯文在厕所里吐了五次之后终于老实下来，被老大一人抬回了寝室，老大一放下肖斯文，轻松了很多："都快走了，以后想喝醉都难了啊。"我很奇怪地问老大为什么总是这么多离愁别绪，老大只是笑，什么也没说。

武汉的天气总是这样让人难以琢磨，春天还没有完全到来，那一年2月的武汉却忽然热得令人焦躁，而等着毕业的心情比这天气更焦躁，新闻学院里所有还留在学校的人都这样，白天出去找工作，晚上就等着毕业，日子就这样过去，整个2月，整个大四下学期，日子像一个巨大的磨盘，在每个人身上碾过。

惟一想慢点毕业的是老二，他每天复习着高数，但是显然这样的环境不适合去研究那些歪歪扭扭的公式，倒适合去

找个机会好好地发泄一番，的确，这是一个荒唐的季节，在这个荒唐的城市里，每天都有无数荒唐的事情发生，或许在今天，又或许在明天，谁也不知道。

我点上一枝烟发呆，肖斯文出去不知道干什么了，老二埋着头在看高数，但是显然没看进去，最轻松的还是老大，他躺在床上无奈地翻着本英文原著，寝室里一派祥和安宁，我想找人说话都找不到。

楼下响起了一片嘈杂，我应声望下去，发现围了不少人，也不知道什么事，人群中忽然有人喊起来："我操，小日本打人了！"寝室里三人同时来了精神，也不知道出了什么事，老大的眼力最好："我靠，那不是肖斯文？"我想问老大出了什么事了，老大什么都没说，头也不回，就朝楼下冲，我和老二也跟着出去，心里知道没好事，但是还是跟着下去了。

这一幕估计是在场所有人一生中所见到的最壮观的一幕了，即使二战期间也不会有这么多国家的人在一起打架。老大一上来就放倒了一个要上来打肖斯文的韩国人，把他压在地上不能动弹。

此刻的肖斯文则无力地瘫在地上，好不容易才支起身子，我看见敏郎被人架住，还挣扎着想上去打肖斯文，尽管以前认识，我还是给了他一脚。他惊讶地看着我，我回了一句："他是我兄弟。"

这时我又看到了那个美洲帅哥马杜罗，他显得特别激动，用一口不太流利的中文骂着脏话："禽兽！你这个王八蛋！"显然是指着肖斯文的。他看见肖斯文从地上爬起来，不知道哪里来了股牛劲，挣脱出来，朝肖斯文肚子又是一脚，我冲上去想揍这家伙，肖斯文却有气无力地叫住了我："别打了，兄弟，我对不起你。"

"兄弟？你们中国人是这么做兄弟的吗？"敏郎一边捂着肚子一边放肆地笑道。一个家伙上去给了他一巴掌，他的嘴角上渗着血，但是还在笑。我白了一眼敏郎，没去理他，而是走到肖斯文跟前扶起他，他却挣脱我的手，耷拉着脑袋晃悠地站了起来。

"到底发生了什么事？"我拍拍肖斯文身上的尘土问他。肖斯文还是耷拉着脑袋什么都不说。

马杜罗拼命地挣扎着，但是后面那两个家伙却把他的胳膊挽得更紧了，似乎根本没有挣脱的余地，他声嘶力竭地继续用那口不大纯熟的中文大骂："你这个王八蛋，你对苏琳做了什么？"

"告诉我，你对苏琳做了什么？"我还是这样问着肖斯文。肖斯文耷拉着头，半晌才说话："苏琳，是我害她的。""你说什么？"我皱着眉头问，连连摇着头，我心里已经明白，但是却还抱着希望，希望这只是肖斯文随口说说的。

"苏琳那事，是我下药干的。"肖斯文无力地蹲在地上，头埋得很低，好像生怕看见我的眼睛。

我记得当时一边看着肖斯文，嘴巴张得大大的，全身无力，差点瘫倒在地上，身高只有一米六几的马杜罗咆哮着，像一只被激怒的狮子，从两个膀大腰圆的体育生的束缚下冲出来，把那两个一米八几的体育生推得老远，马杜罗一上来就给了肖斯文一脚。这一脚似乎完全没有方向感，却不偏不倚踢在他的裆部，他当时就倒在地上抽搐起来，眼睛里似乎看到了天堂，还有他老爸那双穿着老人头皮鞋，套着梦特娇

226

西裤的腿，还能看到他的爷爷在向他招手，肖斯文常在我们面前提起他爷爷，当年是河南省的大地主的少东家，土改前期伪装进步，部队撤走之后组织红枪会作乱，杀害大量干部和贫农，等到后来部队带着机枪来镇压，老爷子绝望地在大屋子里坐了一整天，拿一把马牌小撸子自杀了。肖斯文的老爸没见过他的地主爹，是遗腹子，但是私下却常用曾祖父当年的故事教育幼年的小肖斯文，肖斯文从来就没见过爷爷是什么样子，但是我想，他那天一定看清楚了他爷爷的慈祥的样貌。

周围的人见到这个情景全呆了，老大也呆了，没有人去扶他，甚至没有人正眼看他，有的人白了他一眼走了，隔壁的马老二朝肖斯文身上吐了口唾沫，招呼着王洋："走，上楼去，这王八羔子犯贱，是自作自受。"

王洋最终没有能拿到毕业证，据说回乡做了老师，娶了个村姑，日子过得还算安逸，马老二后来也到了广州，在一间报社跑社会新闻，据说有一次嫖娼不给钱，警察来了还跟警察装牛逼，扬言要见报，警察同志无奈之下只有通知报社端了他的饭碗。他从报社出来现在还在找工作，听说一直没饭吃，却没来找过我，大概是不好意思吧。

我当时想上去给肖斯文几个嘴巴，老大却在后面牢牢地箍住了我："够了，打他脏你的手。"保卫科的胖科长带着一帮校警匆匆地赶来，招呼着人扶他，拉了半天才有两个站在后面的家伙懒散地把一摊烂泥般的肖斯文半扶半拖，朝学校医院走去。

张艳走的时候告诉我，肖斯文那天是约苏琳到他租的房子拿一些资料，却把那瓶迷药倒进了果汁里，这瓶药其实是当初买了给老二用的，想不到却用到了苏琳身上，而那一晚，我正从北京坐火车回来，正做着那个虚妄的梦，只有真正到了那个时刻，我才知道梦是如此的真实。

张艳是在肖斯文被打以后的一个星期内走的，她走的时候没有通知肖斯文，只是约我出来说会话。她说其实苏琳早就告诉了她事情的经过，只是不敢告诉我而已。我问是不是她把这事情告诉马杜罗的，她笑而不答，只是说反正有报应就行了，还管这么多干什么。她去了广州，我问她去干什么，不要毕业证了吗？她说算了吧，这鬼地方太让人失望了。

保卫科的灯火彻夜未熄，胖科长那天在办公室踟蹰了一整夜，面对着足可以组织一次联合国会议的"国际纠纷"，哆嗦着等着上头的指示，而我和老大，也在保卫科冰冷的地板上，和几个带头动手的一起蹲了一整夜，留学生们则围坐在另一间办公室里喝着茶聊着天，我感觉犯困，找一个认识的校警要烟，他犹豫了半天，给了我一枝红河，叫我到外面去抽。

2月的武汉，星空有些模糊，我找了半天都没找到北极星，只得作罢，我开始感到害怕，不知道后来的情况如何，或许会被开除，也或许拿不到毕业证，更有可能是在档案里记上一笔，但是最心痛的，还是被肖斯文欺骗的日子。

幸运的是学校最终还是决定把这件事压下来，因为几个留学生不仅没有什么意见，敏郎还尽力为我说情，我们没背上处分，报纸上也没有报道，除了肖斯文的医药费学校一咬牙全额报销外，其余一切都不了了之，好像一切根本就没有发生过。但是敏朗和马杜罗在一个月后，先后回国了。

　　肖斯文在医院躺了两天就自己主动要求出院了，刚回来想给我说点什么，我却把欠他的 2000 块钱夹着几张零钞砸上他脸上，说是连本带利。他一个人颓然收拾着地上的钱，嘴里还在喃喃着："活该，都是我活该。"

　　第二天，他要把钱还给我，我没理他，他强塞给我，却被我一把推得老远，喊他滚。他后来趁我不在，托老大把钱还给我，老大则说，一笔账归一笔账，还是算清楚比较好，他无奈之下把钱塞在我的枕头下面走了，回来了老大告诉我钱的事，我想再一次把钱砸在他脸上，老大却说算了，人不能太绝了，拿了钱也让他好过一点，记得以后再还他好了。我一直没给他好脸色，整星期整月地不跟他说话。

　　肖斯文不断地向我道歉，有一次在街上碰到了，几乎向我下跪，我最终心还是软了下来，接受他的道歉，但是关系却冷了好多，后来肖斯文去了上海，做什么事情都不顺，时常在我哈欠连天的时候说怀念在武汉的日子，而我总会在这样的时刻挂掉电话。

　　我所以这样轻易地原谅了肖斯文多半是因为他老爸的缘故，我总觉得肖斯文这样一个人猛然受了打击，性格上才会有这么大的变化，或许我不会同情他的老爸，但是我还是会同情肖斯文这样一个曾经的死党。在广州的时候，有一天，和广西的朋友在一块聊天，他告诉我他们村里的狗是非常难得的品种，非常聪明，也非常勇猛，所以是绝对不能和邻村的杂种狗交配的，如果出现这种情况，村里的人会把自家的狗打得半死，还会把狗崽子杀掉。但是即使如此，这些优秀的动物在受伤后还是会翻山越岭，去邻村拈花惹草，生出一堆非驴非马的杂种来，广西室友哀叹说："再好的狗也是狗，畜生终究还是畜生。"

我忽然心里一惊，这才想到，或许肖斯文所谓的改变只是我一厢情愿的感觉，其实他根本就没有变，他始终是一个鸡巴指挥大脑的人。就跟广西室友家乡的狗一样，即使再聪明，他的生殖器同样还是会让他变成一个禽兽。

后来老大在电话里说，其实肖斯文并不是指望着苏琳，他几次私下都愤愤不平，因为他去找卫婕，卫婕从来没给他过好脸色，"肖斯文大概是后来一时忍不住，看苏琳好骗吧。其实他一直想泡到卫婕"。老大说到这里笑了："卫婕除了跟你的时候有点傻，其他的时候聪明着呢。"

毕业的散伙饭我和肖斯文都没来，我怕我会喝多了酒揍肖斯文，肖斯文也怕在吃饭的时候见到我，总之这也算不谋而合吧，据说老二那天喝得尿了裤子，和老大抱在一起哭。

老二在最后一次考高数的前一个星期，忍不住又去了一次虎泉，回来时却发现下身奇痒难忍，没几天居然从裤衩上拉下了一个阴虱，老二当时就吓得跳起来，泼的一下把它捏碎了。他赶紧买了剃刀，按着肖斯文教的方法折腾了几天，还在凉台上架起了酒精炉子把内裤一条条放在水里煮，他考高数的前夜煮了一夜的内裤，结果在高数的考场上打着呼噜睡着了，所以拖到现在毕业证还没拿到。老大说他应该还在电脑城打工，但是现在联系不到了，我惋惜地摇摇头说，有缘总会相逢的。

2004 年的 7 月，我终于离开了莫大，当我走的时候，才觉得莫大原来如此美丽，7 月的武汉，每天都能看到离别的情侣和弟兄，但于我却好像一点也无缘。武汉的 7 月像要把人烤熟了，而到了广州才发现，原来这里也很热。

尾 Everything will gone

Everything will go on

　　2004 年的 7 月 15 日，我走过纷繁嘈杂的广州火车站，在宿舍放下行囊，看着窗外昏黄的天空，怔怔地坐了三个小时——身旁另一张床上，我的广西室友睡得正香。我一直到踏上广州，还像在云雾里飘着——我的运气好得可以说是传奇，我们上届扩招，单位，特别是媒体人都满了，系里的同学在疯狂地找工作，骑驴找马，有去乡办企业的，有去小城市当狱警的，还有几个四眼竟然当了兵。我那五十块钱一份的简历在被若干家报社无声无息地吞掉后，竟然收到了某求职网站转发来的一份通知——我被广州一家日化企业的综合管理部门录取了！

　　根据公司给我的 E-mail，我是公司人事部直接录用的，没有试用期，在公司前台报道后，我还有一个星期的自由时间供我熟悉这个城市——这段时间寂静得教我害怕，我每天匆匆地下楼，有时候甚至忘记了和惟一的熟人（广西室友）招呼一声，吃上一份五块钱的盒饭，然后上楼，捧着一本企业管理的书诚惶诚恐地看着，等待着正式上班那一天人事经理的考核。当时的我，完全隔绝于这个花哨的城市——我怎么也不会想到三个月后，我就已经完全进入了这个城市醉生梦死的夜生活——每天下班和同事宵夜，泡吧，和各色小姐调笑，借助酒精和人民币的威力，在她们麻木的身体上发泄着空虚。

2004年9月中旬，我来到这个城市整整两个月。这天夜里，我和几个同事在芳村酒吧街喝酒玩闹，凌晨两点，我们放肆的醉梦被五六十条手持长棍、消防斧、铁管的大汉惊醒。同事中有人喝高了，多了句嘴引来了泼天大祸。我们在一片打砸和喊叫中跟跟跄跄地跑出来，两个同事头被打破了，一个耳朵差点被削下来，广西同事的鞋子跑掉了，我的头在酒精的作用下不断地炸疼。

我们几个人狼狈地站在街头。我第一次感觉到了这个城市黑夜的寒冷和残酷——鲜血和死亡随时就可能发生在我眼前。广州，2004年9月的某个凌晨，我把一把鼻涕擦在西服袖子上，像一个小孩子一样坐在地上大哭起来。

哭完了，仅仅是五个小时。五个小时后，我又穿着整齐地出现在了公司，黑着眼圈和同事们一一招呼问好，中午吃饭时，甚至绘声绘色地指着报纸向女同事描述起昨夜我是如何在暴徒的刀棍下鹞子翻身踏雪无痕。

"人生就是如此啊，"我忘不了张艳说的那句话，"世上男男女女，无非买×卖×，你娃娃现在没钱买，就得夹起尾巴做人。"说这话时候的张艳已经变得十分淫荡了，毫不避讳地和我比较起他的香港"老公"和肖斯文的床上功夫。

2004年的8月份，在广州炎热的街头，我看见了世界上穿着最性感也可能是最无耻的孕妇——我的同学张艳，那个曾经胖乎乎的纯洁女孩。

　　我和她的见面实在是偶然，但是她却一点也不惊讶，慵懒的脸上似乎还有昨夜牌桌上的残妆——却掩不住久经世事的沧桑——我不知道她身上发生了什么，只知道她比我晚半年出生，然后早半年来到广州。

　　张艳和我说，她现在和一个香港人交往，那人给她房子住，给她零花钱，她在为这个男人生孩子——我沉默了，心里憋屈地想哭，找不到话头，支支吾吾地指着她的肚子问肖斯文。

　　张艳听我才说到这个名字，就夸张地笑了——她笑弯了眼睛笑弯了腰，骄傲地抚摸着肚子对我说："你见过煮熟的豆子还能发芽吗？"

　　至此，我才知道马杜罗那一脚彻底地废掉了肖斯文——在放假前的三个月里，肖斯文脸色铁青，彻夜彻夜地不回宿舍。有一回，老二还在厕所惊奇地发现了"月经"——现在想来，那是肖斯文的血尿。

　　人生其实就是有那么多巧合，轮不到你不信就招呼到你头上来了。我常常想，要是肖斯文的老爸不凑巧碰到他统治下的暴民一起坐牢，他也许不会那么难过那么糊涂；老二如果不是凑巧提出要药，苏琳也许就能逃过一劫；马杜罗那一脚要是稍微偏一点，肖斯文现在还是一个正常的男人——可是生活就是这么凑巧。我还常常想，如果我不是因为那次集体活动认识苏琳，那会怎么样呢？如果不是那次失恋，碰上了卫婕一起喝酒又会怎么样呢？还有徐琴，想到那次火车里的巧遇，我忍不住淡淡地笑了——我都快要忘记那个温馨的名字了。

　　2004年7月22号，我第一次正式上班。在新的办公桌

233

上惶惑地坐了一天，手足无措。临近下班时分，人事部郝经理把我叫进他的办公室。

这是一个 30 岁左右的职业男人，西服的领带打得十分精细。白色的脸颊不是胖，却好像累得有些浮肿。价值不菲的金边眼镜似乎要在上面勒出血痕来。我忐忑不安地坐在他对面，任由他用疲惫的眼神翻着我的简历，不咸不淡地问了几个公司杂物管理的问题。直到他挥挥手，示意我可以走了。

我在关门的时候，被他叫住了："汪平，等等。"

声音里有南方口音，但却不是一贯的命令语气。

我站住了，回头疑惑地看着他。

他长出了一口气，摘下眼睛，揉了揉自己的眼睛，然后一半欢喜，一半忧伤地问道："徐琴，她还好么？"

图书在版编目(CIP)数据

年华若樱/李紫烟 著. —杭州：浙江文艺出版社，
2006.1

ISBN 7－5339－2246－8

Ⅰ.年... Ⅱ.李... Ⅲ.长篇小说−中国−当代
Ⅳ.I247.5

中国版本图书馆 CIP 数据核字(2005)第 127669 号

年华若樱

李紫烟 著

浙江文艺出版社出版发行

地址：杭州市体育场路 347 号

邮编：310006

电邮：Zjlaph@mail. HZ. ZJ. CN

浙江省新华书店集团有限公司经销

杭州富春印务有限公司印刷

丛书策划　程德培 　　　　　夏　烈 本书策划　胡　坚 　　　　　喻向午 责任编辑　夏　涵 封面设计　秋　秋 责任校对　徐晓玲 责任出版　朱毅平	开本：880×1230　1/32 字数：160000 印张：7.5 插页：2 印数：00001－12000 2006 年 1 月第 1 版 2006 年 1 月第 1 次印刷 ISBN 7－5339－2246－8 定价：18.00 元